ESLAVOS
MITOS E LENDAS

Todos os direitos reservados
Copyright © 2021 by Editora Pandorga

Direção Editorial
Silvia Vasconcelos

Produção Editorial
Equipe Editora Pandorga

Tradução e Organização
Juliana Garcia

Revisão
Gabriel Lago

Capa e Projeto Gráfico
Lumiar Design

Texto de acordo com as normas do Novo Acordo Ortográfico da Língua Portuguesa
(Decreto Legislativo nº 54, de 1995)

DADOS INTERNACIONAIS DE CATALOGAÇÃO NA PUBLICAÇÃO (CIP)

M684   Mitos e lendas: Eslavos / vários autores ; organizado por Juliana Garcia ; traduzido por Juliana Garcia. - 2. ed. - Cotia : Pandorga, 2021.
208 p. ; 14cm x 21cm.

Inclui índice.
ISBN: 978-65-5579-047-4

1. Literatura eslava. 2. Contos. 3. Mitologia. I. Garcia, Juliana. II. Título.

2021-4123   CDD 891.8
                                                                CDU 821.16

Elaborado por Vagner Rodolfo da Silva - CRB-8/9410

Índice para catálogo sistemático:
1. Literatura eslava 891.8
2. Literatura eslava 821.16

2021
Impresso No Brasil
Printed In Brazil
Direitos cedidos para esta edição à
EDITORA PANDORGA
Rod. Raposo Tavares, S/N - Bloco A Sala 333
CEP: 06.709-015
Lageadinho - Cotia - Sp
Tel. (11) 4612-6404

WWW.EDITORAPANDORGA.COM.BR

SUMÁRIO

1. Introdução [9]
2. A natureza na mitologia eslava antiga [23]
3. A mãe terra [31]
4. Paganismo eslavo [35]
   - Rod [37]
   - Deusa Lada [40]
   - Svarog [43]
   - Perun, o deus do trovão [45]
   - Dažbog [49]
   - Jutrobog [52]
   - Stribog [53]
   - Gerovit (Yarovit) [55]
   - Triglav [57]
   - Crnobog [60]
   - Veles [62]
   - Zorya, a deusa do crepúsculo e do amanhecer [64]
   - Mokosh [66]
   - Devana [67]
   - Morana [69]
   - Hors [71]
   - Sud/Sudenica [72]
   - Zhibog/Zhiva [72]

- Leshachikha [73]
- Lesnik [74]

5. Criaturas folclóricas [77]
    - A fênix: o pássaro de fogo [79]
    - A fênix nos contos de fadas eslavos e mitologia [81]
    - Alkonost e Gamayun [84]
    - Baba Yaga [88]
    - Babicas, Nocnicas [96]
    - Changelings: as crianças trocadas [99]
    - Chuchuna [103]
    - Cobra-Lubak [103]
    - Drekavac [105]
    - Dziwożona [107]
    - Hala [109]
    - Kikimora [110]
    - Likho [113]
    - Mavka [116]
    - Milosnice ou Likhoradka [119]
    - Płanetnicy [121]
    - Poludnitsa, a Dama do Meio-dia [124]
    - Rusalka [126]
    - Samodiva [133]
    - Strzyga [136]
    - Topielec [139]
    - Vila [141]
    - Wołogór [145]
    - Zmaj [147]
    - Dragões do folclóre eslavo [150]
    - Outros personagens folclóricos [155]

6. Lendas [165]
    - A donzela da neve [168]
    - A senhora da montanha de cobre [178]
    - A sereia de Varsóvia [179]
    - Błędne ogniki: fogo fátuo [181]

- A lenda do rei Matjaž [183]
- Skamieniałe Miasto: lendas da cidade transformada em pedra [185]
- O Rei Popiel e os ratos [189]
- Flor de samambaia: lendas polonesas [192]
- Lech, Checo e Rus [197]
- O dragão de Cracóvia [200]

7. Epílogo [203]
8. Referências [205]

INTRODUÇÃO

Tão antigos quanto a humanidade, os mitos estão enraizados no subconsciente humano em todas as sociedades e civilizações. Os mitos nascem de boca em boca e vivem por meio das palavras dos narradores, mantendo-se também vivos mediante criações artísticas e eventos culturais organizados por indivíduos e comunidades.

O termo "mito" vem do grego *mythos*, que significa *palavra, discurso* ou *história*. "Mito" significava originalmente um conto sobre deuses e ideologia em forma narrativa, ainda que a palavra possa ter diversos significados mais amplos hoje em dia.

O caráter oral do mito faz com que ele seja vulnerável a constantes mudanças. Como diz o ditado popular, "quem conta um conto aumenta um ponto", e é exatamente o que acontece aqui. Começando em sociedades muito antigas, nas quais a escrita não existia ou não era difundida, a única forma de manutenção daquela história era a oralidade, o que gerou, sem dúvida, diversas versões de uma mesma história. Hoje em dia, algo parecido acontece, paradoxalmente: com o advento da internet e redes sociais, o fluxo de informação disponível é muito grande, fazendo com que lendas urbanas atuais, por exemplo, apresentem inúmeras variações.

Nos tempos antigos, quando os mitos ainda ocupavam um lugar central na vida espiritual da sociedade, eles representavam a verdade primordial e incontestável.

Como qualquer outra sociedade da época, os eslavos viviam em um mundo altamente simbólico, sem paredes separando o universo místico daquilo que era real. Ao ouvir trovões, sabiam que era Deus (Perun) falando com eles; tinham de andar com muito cuidado pelas montanhas, pois estavam no reino das *vily*, as ninfas da floresta. Quando olhavam para o fogo, sabiam que ali estava Svarog, a divindade desse elemento. Já os moinhos de água eram lugar de encontro de lobisomens. Com o passar do tempo, entretanto, os mitos vão se desdobrando e dando espaço para o fictício, para os contos de fada e adivinhação.

Quando falamos de mitologia eslava, estamos entrando em um território ainda mais complicado: os eslavos antigos não deixaram muitos traços sobre sua cultura e suas crenças. Temos acesso a pouca iconografia, quase nenhum artefato e certamente nenhum achado arqueológico grande e relevante, como ruínas de antigos templos eslavos. Na verdade, muito do que sabemos sobre a religião eslava vem de cronistas cristãos que escreviam seus relatos em uma época em que a religião antiga eslava já estava em declínio. Portanto, é de se esperar que existam várias versões da mesma história, porque muito foi deduzido, conectado, inferido.

Contudo, isso definitivamente não significa que não temos acesso à sociedade eslava antiga. Ao longo dos anos, muitos métodos de reconstrução vêm sendo aplicados por especialistas, por exemplo, aproveitar os achados de outras disciplinas, como linguística, etnologia, arqueologia, religião comparada e estudos indo-europeus, bem como procurar por relíquias sobreviventes da antiga religião pagã ainda presente nos contos, lendas e costumes do povo eslavo.

É interessante ressaltar que principalmente a região dos Balcãs sempre foi um caldeirão da Europa, uma encruzilhada de povos, culturas e tradições que se conheciam, mesclavam e adaptavam. Assim, esse tipo de mescla sempre foi e talvez continue sendo algo comum na região. Contos folclóricos, fábulas e contos de fadas se desenvolveram nessa interseção entre a antiga mitologia politeísta pagã e o cristianismo, ora surgindo do mito, ora sendo tecida no corpo de um mito e adaptada a ele.

Com o tempo, novos elementos e temas foram adicionados, alguns estrangeirismos ou novas tendências chegaram ao país, assim como uma nova abordagem ou reflexão sobre o desenvolvimento da própria sociedade.

Os mitos eslavos eram cíclicos, repetindo-se todos os anos em uma série de festividades que se seguiam às mudanças da natureza e das estações. Assim, para entender sua mitologia, é importante entender seu conceito de calendário. Com base em vestígios arqueológicos e folclóricos, é possível reconstruir alguns elementos do calendário pré-cristão, em particular as grandes festas.

Um conceito cosmológico bastante típico entre falantes de línguas indo-europeias, o da Árvore do Mundo, também está presente na mitologia eslava. O símbolo mitológico da Árvore do Mundo era muito forte e sobreviveu ao longo da história do folclore eslavo por muitos séculos após o cristianismo. Na árvore, estavam representados três tipos de universo: sua coroa representava o céu, o reino dos seres celestiais e corpos celestes, enquanto o tronco era o reino dos mortais e as raízes representavam o mundo subterrâneo, o reino dos mortos. Ao contrário das ideias populares, parece que o mundo dos mortos na mitologia eslava era na verdade um lugar adorável, um mundo verde e úmido de planícies relvadas e primavera eterna.

O padrão de três reinos situados verticalmente no *axis mundi* da Árvore do Mundo é paralelo à organização horizontal e geográfica do mundo. O mundo dos deuses e mortais estava situado no centro da terra (considerada plana, é claro), rodeado por um mar, através do qual ficava a terra dos mortos, de onde os pássaros voariam a cada inverno e voltariam na primavera. Em muitos relatos folclóricos, os conceitos de cruzar o mar versus vir do mar são equiparados a morrer versus retornar à vida.

Além disso, no eixo horizontal, o mundo também estava dividido; nesse caso, por quatro pontos cardeais, representando as quatro direções do vento (norte, leste, sul, oeste). Essas duas divisões do mundo, em três reinos no eixo vertical e em quatro pontos na horizontal, eram muito importantes na mitologia; elas podem ser interpretadas em estátuas de deuses eslavos, particularmente aquelas do Triglav de três cabeças e do Svantevit de quatro cabeças.

Por mais estranho que possa soar, o Sol era considerado uma divindade feminina, e a Lua, uma divindade masculina, diferente do usual nas mitologias indo-europeias, nas quais o Sol é geralmente associado às divindades masculinas e a Lua às femininas.

Aparentemente, uma grande variedade de divindades era adorada pelos eslavos, em uma enorme área geográfica das margens do Báltico às margens do Mar Negro, em um período de mais de 600 anos. Fontes históricas também mostram que cada tribo eslava adorava seus próprios deuses e, portanto, provavelmente tinha seu próprio panteão. No geral, a antiga religião eslava parece ter tido muitas variações culturais, com deuses e crenças variando de tribo para tribo. No entanto, assim como no caso das várias línguas eslavas — pelo qual se pode comprovar que se originam de uma única língua protoeslava —, também é possível estabelecer uma espécie de Olimpo protoeslavo, e, por meio do estudo cuidadoso do folclore, reconstruir alguns elementos desse panteão original, do qual se originaram os vários deuses das várias tribos.

Por mais que as informações que temos deixem espaço para controvérsia e discussões, os estudiosos costumam chegar a alguns consensos. Como explica Petro B. T. Bilaniuk: "Todos os estudiosos que estudam os eslavos orientais concordam que sua principal característica geral é uma intensa emocionalidade. A vida dos eslavos orientais, especialmente a vida religiosa, é dominada pelas emoções a tal ponto que o bom funcionamento do intelecto e da vontade é ofuscado. O emocionalismo, o sentimentalismo, a delicadeza exagerada dos sentimentos e o lirismo encontram expressão no esteticismo do folclore, no ritualismo, nos bordados, na melodia e nas canções. Essa intensa emocionalidade cria uma aura de profunda introversão, o que explica por que os eslavos orientais demonstram prontamente um entusiasmo incrível e depois se acalmam ainda mais rapidamente."[1]

---

1. *The Ultimate Reality and Meaning in the Pre-Christian Religion of the Eastern Slavs*, 1.2.4.1.

SOBRE OS POVOS ESLAVOS ANTIGOS E A RELAÇÃO COM O MITO

Segundo o cronista bizantino Procópio, a organização social eslava lembrava bastante a germânica, consistindo em um grande número de pequenas tribos que se reuniam em torno de famílias. Existia a figura de um rei, mas ele provavelmente não tinha muito poder, e todas as questões importantes eram discutidas pelos membros da tribo.

As cabanas em que residiam eram modestas e distantes umas das outras. Seus preciosos bens não eram guardados em casas particulares, mas em tesouros dentro de fortes que também serviriam de abrigo durante as guerras. Os relatos dos cronistas contam que havia muitas brigas entre as tribos eslavas, o que as tornava sujeitas ao suborno em questões de relações intertribais. Eles são descritos como muito orgulhosos e desafiadores, ferozes na defesa de sua liberdade. Há testemunhos de que os eslavos gostavam muito de música e eram hábeis em tocar instrumentos de corda. Na guerra, eles usavam flechas com pontas envenenadas, lanças curtas, armaduras pesadas e arcos de madeira.

Frequentemente, toda a tribo se mudava de um lugar para outro em estilo nômade. Entrando em contato com outras culturas, eles adaptaram os costumes militares aos padrões mais elevados e equiparam seus exércitos com espadas pesadas, facas e melhores escudos.

Procópio descreve os eslavos como altos, bonitos e imensamente fortes, resistentes ao frio, à fome e a outras circunstâncias severas. Seus cabelos eram geralmente ruivos, e sua higiene não era de um nível invejável.

Existem várias teorias modernas sobre um deus eslavo supremo, Rod ou Svarog, e fontes históricas mostram que deuses como Svarogich, Svantevit ou Triglav também eram considerados supremos para algumas tribos, mas, no geral, de longe, o melhor candidato para a posição de deus supremo é Perun. Seu nome é o mais comum em todos os registros históricos do paganismo eslavo; na verdade, ele é o primeiro deus eslavo mencionado na história escrita.

Substitutos eufemísticos para nomes de espíritos malignos poderiam ser explicados pelo fato de que pronunciar o nome de uma divindade ou demônio era considerado o mesmo que evocar sua presença. Os nomes reais dos demônios, e até dos deuses, raramente eram usados. Isso representa um problema para os pesquisadores porque, consequentemente, muitos nomes de demônios foram esquecidos.

TRADIÇÃO POPULAR DA RÚSSIA PRÉ-CRISTÃ (PRÉ-987 D.C.)

Na antiguidade, a natureza tinha um papel essencial na vida das pessoas. Nos primeiros tempos, os russos tinham uma base agrícola em vez de caçar ou pastorear sua produção de alimentos; o sucesso da sociedade russa dependia amplamente do sucesso de sua agricultura.

Não chegaram a nós muitas informações sobre o panteão eslavo, mas tudo indica que diferentes tribos tinham diferentes deuses como seus principais, ainda que muitos estivessem relacionados.

Entre os deuses principais, era comum ter Svarog como deus supremo; Dazhbog como o deus sol, responsável pelas plantações; Perun como deus da guerra e do trovão e Veles como o deus do gado.

TRADIÇÃO POPULAR NA *RUS* CRISTÃ (987-1917/1922)

Vladimir I (ou "Vladimir, o Grande", "São Vladimir") converteu-se ao cristianismo em 987 d.C. e, posteriormente, estabeleceu a região como a oficial da Rus. Apesar da erradicação superficial da crença pagã, o animismo e o culto aos ancestrais sobreviveram em rituais, histórias, encantos e práticas na vida camponesa. Certas divindades pagãs e objetos de adoração foram introduzidos, mesclados entre os santos pagãos. Alguns feriados pagãos continuaram em prática, mas eram chamados por novos nomes, como o Dia da Trindade, durante o qual as meninas camponesas honravam as Rusalki (uma das divindades da água), relembravam os antepassados e praticavam rituais de adivinhação. Outro feriado desse tipo é o Dia de São João, quando se realizavam rituais para incentivar a primavera a voltar em breve. A coexistência de crenças pagãs e cristãs na cultura russa é chamada **"dualidade de religião"** ou **"dualidade de crença"**, e acontecia em grande parte da cultura camponesa russa.

Certos rituais e crenças pagãs foram tolerados e até apoiados pela Igreja. Nesses casos, como é comum acontecer, os ritos foram *reinterpretados* como essencialmente cristãos. Por exemplo, o ritual de inverno de espalhar o feno no chão associou-se à comemoração do nascimento de Jesus na época do Natal. Apesar disso, a Igreja ainda condenava muitas práticas, alegando que tinham relação com o diabo.

Певец-сказител, фабрика Лукутина
("Pevetz Skazitel", cantor contador de histórias, Fabrica Lukutina)

FOLCLORE RUSSO NA RÚSSIA SOVIÉTICA (1917/1922-1991)

A década de 1920 é considerada pelos pesquisadores a era de ouro do folclore da União Soviética. Como o novo governo estava encontrando dificuldades e teve de concentrar seus esforços no estabelecimento de um novo sistema administrativo e na construção da economia atrasada do país, não pôde preocupar-se em tentar controlar as artes, em especial a literatura, de modo que os estudos sobre o folclore prosperaram.

Havia duas tendências principais do estudo folclórico durante a década: a escola formalista e a escola finlandesa. O formalismo se concentrava na forma dos contos de fadas, especialmente no que se tratava da estrutura e artifícios poéticos. Já a escola finlandesa buscava as conexões entre lendas relacionadas de várias regiões da Europa Oriental, coletando contos comparáveis de diferentes locais e analisando suas semelhanças e diferenças, na esperança de traçar os caminhos de migração dessas histórias.

Quando Joseph Stalin chegou ao poder e pôs em prática seu primeiro plano de cinco anos em 1928, o governo soviético começou a criticar e censurar os estudos folclóricos. Stalin e o regime soviético reprimiram o folclore, acreditando que apoiavam o antigo sistema czarista e uma economia capitalista. Para manter os estudos folclóricos sob controle e impedir que ideias inapropriadas se espalhassem entre as massas, o governo criou o RAPP, a Associação Russa de Escritores Proletários. O RAPP concentrou-se especificamente na censura de contos de fadas e literatura infantil, acreditando que fantasias e "disparates burgueses" prejudicariam o desenvolvimento de cidadãos soviéticos de destaque. Os contos de fadas foram removidos das estantes de livros e as crianças foram incentivadas a ler livros focados na natureza e na ciência. O RAPP finalmente aumentou seus níveis de censura e tornou-se a União dos Escritores Soviéticos em 1932.

Para continuar pesquisando e analisando o folclore, os intelectuais precisavam justificar seu valor ao regime comunista, caso contrário, as coleções de folclore, juntamente com toda a literatura considerada inútil para os propósitos do Plano Quinquenal de Stalin, seriam um campo de estudo inaceitável. Em 1934, Maxim Gorky discursou para a União de Escritores Soviéticos, argumentando que o folclore poderia, de fato, ser conscientemente usado para promover os valores comunistas. Além de expor o valor artístico do folclore, ele enfatizou que as lendas e contos de fadas tradicionais mostravam personagens ideais, orientados para a comunidade, que exemplificavam o modelo de cidadão soviético. Além disso, os personagens folclóricos expressavam altos níveis de otimismo e, portanto, poderiam incentivar os leitores a manter uma mentalidade positiva, especialmente quando suas vidas mudaram com o desenvolvimento do comunismo.

Convencidos pelos argumentos dados, o governo soviético e a União de Escritores Soviéticos começaram a coletar e avaliar o folclore de todo o país. A União escolheu a dedo e registrou histórias particulares que, a seus olhos, promoviam suficientemente o espírito coletivista e mostravam os benefícios e o progresso do regime soviético. Em seguida, passou a redistribuir cópias de histórias aprovadas para toda a população.

Além da circulação de contos de fadas aprovados pelo governo e, por lei, que já existiam durante o governo de Stalin, os autores que imitavam ideologias soviéticas apropriadas escreveram contos populares comunistas e os apresentaram à população. Esses contos populares contemporâneos combinavam as estruturas e os motivos do antigo *byliny* com a vida contemporânea na União Soviética.

Esses novos contos de fadas soviéticos e canções folclóricas enfocavam principalmente os contrastes entre uma vida miserável na velha Rússia czarista e uma vida melhor sob a liderança de Stalin. Em vez de receber conselhos essenciais de um ser mítico, o protagonista receberia conselhos de Onisciente Stalin.

O folclore sob Stalin, que um dia foi considerado um renascimento do épico russo tradicional, hoje é geralmente considerado um período de contenção e retrocesso.

Em suma, com o tempo alguns elementos foram ressignificados, adicionando-se alguns estrangeirismos ou novas tendências chegadas à região, assim como uma nova abordagem ou reflexão sobre o desenvolvimento da própria sociedade eslava.

O folclore e os contos de fadas eslavos são abundantes, com muitos elementos, motivos e personagens centrais que podem ser encontrados no folclore de muitas outras nações, como heróis animais, bruxas, gigantes ou mesmo pessoas comuns que, por meio de alguma intervenção mágica, superam os adversários maus e ascendem à glória.

A NATUREZA NA MITOLOGIA ESLAVA ANTIGA

O paganismo é muitas vezes descrito erroneamente como "religião da natureza". É inegável, no entanto, o papel que tudo que é natural tinha nas culturas antigas, especialmente se levarmos em consideração que muitas coisas dependiam exclusivamente da natureza.

TRADIÇÃO POPULAR DA RÚSSIA PRÉ-CRISTÃ

Como dito, a natureza tinha um papel essencial na antiga cultura eslava. Alguns dos primeiros objetos de culto russo foram talvez a "Mãe Terra Úmida" e, em tempo posterior, uma divindade possivelmente relacionada, chamada Mokosh, cujo nome também significa "úmido". Mokosh era a deusa das mulheres, crianças e animais, e era adorada por sua conexão com a fertilidade.

O solo russo geralmente é muito fino para uma agricultura robusta; as chuvas eram raras e espaçadas, fazendo com que a estação de crescimento fosse curta.

Como desde os primeiros tempos os russos tinham uma base agrícola em vez de caçar ou pastorear sua produção de alimentos, o sucesso da sociedade eslava dependia amplamente do sucesso de sua agricultura.

 Além disso, acredita-se que tenha havido um foco notável no elemento feminino da cultura eslava inicial, com uma mudança subsequente para uma sociedade mais patriarcal, à medida que o cristianismo se estabeleceu na área. O culto aos antepassados era outro aspecto central da vida tribal e servia de elo entre as gerações passadas e futuras. O animismo também era uma crença comum, e os espíritos da natureza e da casa desempenhavam um papel central na vida tribal diária. Discute-se, inclusive, se não teria ocorrido uma fase somente animista antes do surgimento da crença em deuses.

 De qualquer forma, o animismo eslavo também incluía a adoração de totens, assim como os índios americanos e outras tradições animistas do mundo fazem. Os eslavos acreditavam ser descendentes dos lobos, então criam que matar esses animais era algo horrível e evitavam isso a qualquer custo, às vezes até colocando em risco sua própria segurança. Em algumas áreas, o totem principal era uma cobra. Ainda hoje os sérvios acreditam que não é bom matar a chamada "cobra — protetora da casa" (que é um animal realmente inofensivo), que às vezes aparece em casas térreas, principalmente no campo. Os homens antigos tratavam a terra, o céu, a natureza e tudo nela como seres vivos. Isso também é perceptível na literatura tradicional sérvia, na qual o Sol, a Lua e as estrelas falam, riem, brincam e fazem tudo como seres humanos.

No sistema eslavo de crença, as árvores desempenhavam um papel extremamente importante. Acreditava-se que elas conectavam os reinos celestial e terreno, com galhos no céu e raízes no submundo, entre os mortos. Semelhante à antiga crença nórdica, a árvore era a representação microcósmica de todo o universo e um eixo central do mundo criado. Árvores antigas eram marcadas por talhas e consideradas locais sagrados, diante dos quais eram feitas oferendas. Como muitas outras civilizações, os eslavos acreditavam que fadas e outros seres reuniam-se na floresta, o que era mais um motivo para que respeitassem os locais. No entanto, as criaturas e espíritos que habitavam a vegetação eram geralmente vistos como benéficos. O sabugueiro, por exemplo, era o lar das fadas e precisava ser tratado com cuidado especial: quem danificasse essa árvore adoeceria e poderia até mesmo morrer.

Pinheiros e carvalhos eram provavelmente as árvores mais importantes para os eslavos. Às vezes, eles eram intercambiáveis com a divindade, que acreditavam residir nos ramos. O carvalho era dedicado ao deus Perun, enquanto o espinheiro era profilático contra demônios, bruxas e vampiros. Pode apontar para a origem do costume posterior em toda a Europa de usar espinheiro para perfurar o cadáver do vampiro suspeito. Devido à sua floração precoce e à firmeza dos ramos, o cornel estava relacionado com a manutenção da boa saúde, e essa crença é preservada nos costumes contemporâneos do Natal dos eslavos orientais.

O salgueiro também tinha uma reputação positiva, pois acreditavam que tivesse o poder de trazer rejuvenescimento. No entanto, o salgueiro-chorão tinha a reputação oposta, como a morada do diabo. Outras árvores consideradas "más" e perigosas eram olmos, álamos e acácias (acreditavam que elas atraíam trovões).

Ao contrário da má reputação que a maçã conquistou no cristianismo, a macieira era considerada pelos eslavos uma árvore da juventude, saúde, fertilidade e progresso. Por outro lado, cereja e morango eram ingredientes comuns em poções de amor e feitiços; a pera e a noz deviam ser evitadas, porque os espíritos malignos se reuniam entre seus ramos.

Considerada fonte de vida, a água em todas as manifestações — rios, mares, poços, nascentes — era sagrada para os eslavos. Como em muitas outras civilizações, ela era usada para purificação e cura ritual. A água era um elemento extremamente importante na cultura eslava antiga: acreditavam que muitas criaturas mágicas vivessem em rios e lagos. Também se acreditava que as almas dos mortos residiam nesses lugares e os portais para o seu mundo se encontravam nos rios. As fontes eram consideradas especialmente poderosas como mágica, e muitos rituais eram feitos perto delas. Por outro lado, os poços eram vistos como uma fronteira entre os reinos dos vivos e dos falecidos, e as noivas eram apresentadas aos ancestrais ao serem levadas ao poço na primeira noite de núpcias.

De acordo com a crença eslava, sete estrelas no céu decidiam sobre a fé de todos os membros recém-nascidos da comunidade eslava. Alguns esboços de um possível horóscopo mostram que o ano seria dividido em 36 signos zodiacais, mas os registros sobre o assunto são muito escassos.

Bogolessye

A MÃE TERRA

Tradução do texto de Vesna Kakasevski

Mati Syra Zemia (Mãe Terra Úmida), deusa-mãe eslava, é provavelmente uma das divindades mais antigas e importantes. Seu nome a descreve como uma força fértil, vivificante e reprodutiva para sempre. O culto da deusa-mãe tem origem no período do matriarcado, sistema que, em algumas de suas formas, perdurou entre os eslavos até o século X, quando, segundo registros, as mulheres tinham quase os mesmos direitos que os homens.

Majka Zemlja, de acordo com fontes escritas, a deusa-mãe, junto com uma série de divindades naturais e espíritos ancestrais, foi adorada até 988, quando o príncipe Vladimir se converteu ao cristianismo e derrubou os ídolos politeístas colocados em uma colina acima de Kiev.

Embora haja controvérsia entre os estudiosos, alguns descrevem a sociedade eslava como aquela em que as mulheres eram sagradas. Outro fato que apoia a afirmação de que o culto da deusa-mãe era muito antigo é que ela nunca foi representada em uma forma humana, mas adorada como a própria Terra divina. Esse tipo de percepção é característico da forma mais antiga de religião — o animismo. No animismo, tudo o que rodeia o homem é divino e dotado de alma.

Mati Vlazna Zemlja é apenas um dos nomes da deusa-mãe. Na Polônia ela era conhecida como Matka Ziemia e, na Lituânia, como Zemyna, ou seja, a própria Terra. No Livro de Veles, ela é mencionada como a vaca chamada Zemun, a vaca divina conectada com a constelação do Touro. A vaca certamente está relacionada a uma deusa da fertilidade, uma vez que toda deusa-mãe é representada com muitos seios. Os eslavos sempre tiveram uma ligação particular com sua deusa-mãe, bem diferente daquela que tinham com todos os outros deuses. Essa conexão era uma mistura de amor, admiração e um sentimento de profunda intimidade. A deusa-mãe era a única divindade a quem os eslavos se dirigiam diretamente, sem mediadores nem por meio dos serviços dos sacerdotes. Ela tinha o papel de um oráculo que os eslavos consultavam para obter conselhos, mas também era uma testemunha divina e juíza. Nas disputas sobre propriedade privada, as pessoas costumavam suplicar que ela fosse sua testemunha e juravam por seu nome. Para confirmar se a cerimônia de casamento fora concluída de maneira satisfatória, as pessoas engoliam um pedaço de terra ou o colocavam na cabeça. Sua ajuda também era invocada quando o gado precisava de proteção contra doenças.

Visto que Mati Vlazna Zemlja era uma das divindades mais adoradas, não é nenhuma surpresa encontrar vestígios de seu culto entre os eslavos, mesmo depois de se converterem ao cristianismo. Na Rússia, depois de 988, houve um período da chamada dualidade religiosa, durante o qual deuses pagãos eram adorados junto com Cristo e os santos cristãos. As características da deusa-mãe foram, então, transferidas para a Virgem Maria. Um mito que apresenta a deusa-mãe em um papel um tanto atípico origina-se desse período e fala sobre como os deuses Rod e Lada criaram o universo, e como os três mundos — Jav, Nav e Prav — foram criados.

Jav estava conectado com Majka Vlazna Zemlja e representava tudo o que as pessoas podiam perceber com seus cinco sentidos, o mundo material.

Em uma aldeia eslava, um surto de cólera estourou. As mulheres da aldeia se reuniram uma noite e começaram a arar a terra a fim de despertar os poderes da deusa-mãe e implorar por sua ajuda. Enquanto faziam isso, elas tentavam parecer o mais assustadoras possível, então carregavam crânios e várias ferramentas consigo. O objetivo era expulsar a cólera de sua aldeia usando o poder de Majka Vlazna Zemlja, ao mesmo tempo que despertavam uma força ancestral que estava adormecida dentro de si por centenas de anos. As virgens da aldeia deixavam os cabelos soltos, e as velhas cobriam a cabeça com um pano branco. O grupo fez um barulho terrível para assustar as forças do mal, e cada homem que por acaso estava no caminho das mulheres foi espancado pelas ferramentas que elas carregavam. Não seria surpreendente presenciar esse tipo de ritual na época do matriarcado, quando a mulher tinha papel de liderança na sociedade e acreditava-se que ela era a forma humana da deusa da terra, mas esse evento particular ocorreu no início do século XX.

Isso mostra que o culto de Majka Vlazna Zemlja sobreviveu até nossos tempos de uma forma quase inalterada, e podemos consequentemente concluir que essa deusa era uma das divindades mais importantes do panteão eslavo.

PAGANISMO ESLAVO

O termo "paganismo eslavo" refere-se aos cultos e crenças do povo eslavo antes do processo de cristianização formal, que aconteceu em 988. Infelizmente, não muito sobre esse período restou, e os fragmentos que temos ainda deixam espaço para muitos debates entre os estudiosos. Sabe-se que existiam dezenas de deuses, cada um com uma função e personalidade próprias. Aparentemente, cada tribo tinha variações em seu panteão, e, com o tempo e o contato, alguns deuses foram ganhando ou perdendo relevância, ou sendo reinterpretados.

ROD

Como em todas as religiões, a antiga religião eslava também tem uma história da criação. Rod foi o criador do cosmos. Na verdade, ele nasceu sozinho e era tudo que havia. No começo, existia apenas escuridão, e Rod era como um broto, preso dentro de um ovo.

Antes de criar todas as coisas que existem, ele criou Lada, a grande deusa da terra, harmonia e alegria, incorporando juventude, primavera, beleza, fertilidade e amor. Graças a ela, ele conseguiu quebrar o ovo de ouro no qual estava preso, e da onda fria do caos criou o universo.

Ele cortou o cordão umbilical e separou as águas celestes das águas do oceano, colocando a terra entre elas. Quando libertado do ovo, Rod continuou com a criação, concebendo, aos poucos, todos os deuses. Inicialmente, criou uma Mãe Terra, que entrou no oceano. No final da criação, Rod formou os corpos celestes, toda a natureza e os fenômenos naturais: a chuva, as tempestades, a neve, os redemoinhos, o arco-íris. O sol era feito de suas bochechas; a lua, de seu peito; as estrelas, de seus olhos; o nascer e o pôr do sol, de sua testa; a noite escura, de seus pensamentos; o vento, a chuva e a neve, de seu hálito; a cidade, de suas lágrimas; trovões e raios, de sua voz. Rod então se tornou o princípio do universo.

Depois que Rod criou o universo, ele pediu a seus três filhos que reinassem. O mais velho era provavelmente Svarog, o ferreiro mais poderoso de todos, muito inteligente e habilidoso. Rod, Svarog e Lada criaram as pessoas da terra, as palavras, a alma e a consciência.

Um dia, Lada pediu a Mokosh, a deusa-mãe que personifica a terra fértil, associada aos trabalhos femininos e à colheita, que a partir do barro criasse os seres que povoariam a terra. E, assim, Lada criou todos os seres vivos, Svarog lhes deu alma, e Rod, com um beijo, deu-lhes mente e consciência.

Embora houvesse muitos deuses entre os eslavos, Rod talvez fosse o equivalente do Deus que conhecemos hoje nas religiões monoteístas. Após terminar sua criação, ele desapareceu e parou de interferir diretamente na vida de mortais e deuses, mas ainda estava presente no universo e afetava a todos. Ele era, entretanto, onipresente — estava em tudo e era o fundamento de tudo. Tudo que é visível e invisível representava Rod.

Rod era o patrono das colheitas, nascimento, família. Todos esses substantivos em todas as línguas eslavas têm como raiz a palavra *rod*. Isso mostra como Rod era respeitado entre os eslavos e como eles viam a base de tudo nele.

Vejamos algumas palavras em russo:

Родился (rodilsya) — *nascer*

Природа *(priroda)* — *natureza*

Родственник *(rodstvenik)* — *parente*

Родословная (rodoslovnaya) — *família*

A natureza estava em Rod. O povo era Rod, e ele era o protetor dos laços de sangue e das relações entre os clãs. Rod estava em tudo.

Acredita-se que Rod era comemorado em 23 ou 26 de dezembro.

Foto de uma pintura em um templo Sylenkoite, na Ucrânia.

DEUSA LADA

Lada é uma deusa eslava do amor e da beleza e está ligada a Freyja, Isis, Afrodite e outras deusas nos panteões mitológicos ao redor do mundo. Lada é descrita como uma mulher de longos cabelos dourados nos quais, às vezes, é colocada uma coroa de trigo, que simboliza sua função de deusa da fertilidade.

Uma das versões do mito explica que, sendo uma deusa da fertilidade, Lada teria seus ciclos anuais, o que pode ser demonstrado pela crença de que ela reside na morada dos mortos até o equinócio de primavera. Esse mundo dos mortos é chamado de Irij, onde, além de Lada, mora Veles, o deus do gado. No momento em que Lada deve vir ao mundo e trazer a primavera, o deus Gerovit abre a porta de Irij, permitindo que a deusa da fertilidade abençoe a terra, e, no final do verão, Lada retorna ao submundo.

Há um mito semelhante na mitologia alemã, em que Freya passa uma parte do ano debaixo da terra entre os elfos, assim como, na mitologia grega, Perséfone mora junto de Hades durante o período de inverno.

Embora seu reinado comece em 21 de março, Lada é principalmente a deusa do verão, sendo Vesna a deusa eslava da primavera. No entanto, como essas duas deusas estão associadas à fertilidade, às vezes pode ser difícil separar suas funções. Além do sol, Lada também é associada à chuva e às noites quentes de verão, época ideal para homenagear a deusa do amor.

Os rituais realizados em homenagem a Lada costumavam estar ligados à aliança por casamento ou à escolha de cônjuges. Um dos ritos conhecidos é o *ladarice*, também realizado sob o nome de *kraljice* na Sérvia.

Em sua homenagem, as jovens se reúnem em casas ou viajam para estar em contato com a natureza, de preferência a tempo de comemorar a véspera de São João. Esses rituais eram tão populares que foram mantidos por centenas de anos na época do cristianismo, ainda que os padres não gostassem que os jovens entrassem em seus templos com homenagens à deusa. As jovens também colocavam algumas coroas em volta do pescoço das estátuas de seus deuses, que ficam guardadas em suas casas.

No Dia da Santíssima Trindade, um grupo de cerca de dez jovens se reunia (e às vezes ainda se reúne), uma delas vestida como uma rainha, outra como um rei e outra como uma portadora de cores. A rainha permanece sentada em uma cadeira enquanto as outras dançam ao seu redor e vão, de casa em casa, à procura de meninas na idade de casar. Pular sobre o fogo é outra característica dos rituais realizados em homenagem a Lada. Esse costume existia em todas as partes da Europa, e seu objetivo era garantir a fertilidade, bem como proteger as pessoas e o gado das forças do mal.

Os animais de Lada são os galos, os veados, as formigas e uma águia, enquanto suas plantas são as cerejas e o dente-de-leão. Além de Vênus, Lada está ligada à constelação de Touro.

HAVIA MESMO UMA DEUSA ESLAVA LADA?

Estudos recentes, no entanto, sugerem que Lada não era uma deusa eslava pré-cristã, mas sim uma construção de clérigos antipagãos nos séculos XV e XVI que baseavam seus contos em histórias bizantinas, gregas ou egípcias e tinham como intenção denegrir aspectos da cultura pagã.

Esses mitos eram frequentemente baseados em protótipos bizantinos, e os nomes dos deuses eslavos aparecem como traduções dos nomes de deuses gregos ou egípcios.

O interessante sobre Lada é que os russos deram à sua linha de carros o nome de Lada, e esse é um dos carros mais lendários da história eslava.

Ela era valiosa para os eslavos nos tempos antigos como deusa, e ainda hoje seu nome Lada é usado como um símbolo para muitos itens. De qualquer forma, Lada é uma das figuras mais importantes do panteão eslavo e, como tal, desempenhou um papel importante na mitologia eslava.

SVAROG

Quando se trata de Svarog, o maior problema é a falta de escritos verdadeiros sobre ele. Seu nome é mencionado em várias escritas antigas, mas quase nada se fala *sobre* ele. Portanto, a grande maioria do que sabemos é inferido de canções folclóricas, que muitas vezes são ambíguas e extremamente confusas. É por isso que existem tantos contos e histórias diferentes sobre esse deus.

É interessante que na mitologia russa o deus supremo era Perun, mas ele também era chamado de Svarog, enquanto os poloneses, os croatas e alguns outros povos acreditavam no próprio Svarog como um deus diferente, aquele que criara o céu, e havia bosques sagrados especiais nos quais as pessoas adoravam esse deus. Nas tradições dos eslavos orientais, Svarog é mencionado como um deus ferreiro (semelhante ao grego Hefesto), e seus filhos Dažbog como um deus do sol e Svarožić como o deus do fogo e da lareira. Os eslavos do sul o adoravam como o deus do sol, luz e fogo. O povo cita que estava sob a influência cultural eslovena temia o Deus do céu, a quem chamavam de Svargus.

Svarog - Arte: Andrey Shishkin

O fato surpreendente é que ele controla todas as divindades enquanto dorme, então seu poder é inconcebível.

De acordo com um antigo mito, "os homens começaram a forjar armas" quando Svarog jogou no chão um alicate do céu. Pode-se inferir desse detalhe que o culto surgiu no início do primeiro milênio a.C., no final da Idade do Bronze e início da Idade do Ferro. O deus é mencionado pela primeira vez por Procópio de Cesareia no século VI d.C.

Com o tempo, várias funções de Svarog foram atribuídas a outras divindades, e seu culto declinou. Ele não é mencionado no panteão pagão de Vladimir, o Grande.

PERUN, O DEUS DO TROVÃO

Perun é um dos deuses mais elevados e dominantes da mitologia eslava: é o deus das tempestades, dos trovões e dos relâmpagos. Esse deus eslavo é considerado uma figura temível em termos de poder, mas, como o deus grego Zeus, também é paternal. Os historiadores debatem até hoje se Perun seria o deus principal do panteão antigo eslavo, e as respostas divergem. De qualquer forma, Perun ocupa um lugar importantíssimo na mitologia como um deus poderoso e temperamental, cujas ações eram baseadas em parte em seu humor.

Uma versão do mito entende que Svarog também era considerado o deus do céu, no entanto Perun governava o reino físico e atmosférico, enquanto Svarog governava o Prav, o reino dos deuses e espíritos dos mortos.

Embora a importância de Perun no panteão possa ser comparada, de certa forma, a Odin na mitologia nórdica e a Zeus na mitologia grega, sua aparência é mais semelhante à de Thor. Ele é representado como um guerreiro barbudo e musculoso com domínio de machados e montava uma carruagem em chamas puxada por cavalos de crinas incandescentes que soltavam fogo. Os sons de trovões eram na verdade sons de suas carruagens.

Perun

Perun não é apenas o deus do trovão e da luz; é também o patrono dos soldados e nobres guerreiros, o deus governante e guardião da lei e o padrão do poder e domínio masculino.

Como acontece com grande parte da mitologia em todas as culturas, as histórias de Perun tinham o objetivo, pelo menos em parte, de ajudar a explicar o mundo em que os eslavos viviam. Terremotos, tempestades violentas e outros atos imprevisíveis da natureza eram frequentemente atribuídos a Perun e seu temperamento violento.

Perun é filho de Svarog e Lada, cujo nascimento foi anunciado com um poderoso terremoto, e é o mais famoso dos irmãos que governam os céus. Como Perun é também o mais poderoso e temperamental de todos, pode ser esse o motivo pelo qual foi escolhido para ser o líder dos deuses na mitologia eslava.

Ainda bebê, Perun demonstrou seu poder e temperamento em histórias em que superou grandes desafios, sendo levado para o submundo, onde dormiu enquanto sua família o procurava por muitos anos. Ele se tornou um homem durante seu sono e lutou contra as feras do submundo, superando muitos desafios que o levaram de volta ao seu lar celestial.

Lá, ele conheceu a filha do deus do céu, Dyje, e da deusa da lua, Divii, e casou-se com ela após superar vários desafios. Perun começou seu reinado como o chefe do panteão dos deuses, superando ainda mais desafios enquanto mantinha seu governo.

Há uma história de que o deus Veles, na forma de uma serpente com chifres, teria deslizado até o topo da Árvore do Mundo, fazendo com que o mundo humano secasse. No entanto, Perun teria ido batalhar com seu machado e eventualmente matado a serpente, jogando-a no chão e anunciando a vitória, trazendo consigo a chuva e trovões. Contudo Veles nunca morre, e o ciclo de batalha, morte e renascimento se repete todas as vezes antes de a chuva acontecer.

Embora Perun e Veles tenham mentalidades bastante neutras, sua batalha ainda é considerada uma peleja entre a ordem e o caos.

Após a cristianização no século XI d.C., o culto de Perun tornou-se associado a Santo Elias, também conhecido como o Sagrado Profeta Ilie, que dizem ter cavalgado numa carruagem de fogo através do céu, punindo seus inimigos com raios.

Mais uma vez, é importante ressaltar que existem várias versões do mito, e muitas delas divergem. Os dados, porém, levam a crer que as principais divindades do período inicial da Rússia de Kiev foram Perun, o deus da chuva, dos relâmpagos e dos trovões, e Veles, o deus do gado. À medida que a sociedade tribal evoluiu para um estado mais organizado, as funções de ambas as divindades se expandiram: Perun tornou-se o deus da guerra, e Veles, o deus da prosperidade e do comércio, e foram adotados pelo príncipe como os deuses oficiais do estado.

DAŽBOG

Dažbog é um deus eslavo que dá vida à terra, porque ele também era o deus do sol (calor solar) e da chuva, que são as condições mais importantes para a sobrevivência humana. Estudiosos encontraram menções a ele em diversos manuscritos, e há evidências da adoração de Dažbog entre todas as nações eslavas.

A reconstrução protoeslava do nome "dadjьbogъ" é feita de "dadjь" (verbo *dati*, "dar", e o substantivo "bogъ", "deus"). Por sua vez, seu nome significaria "o deus doador". Traduzido literalmente, Dažbog seria o "doador da fortuna" ou "doador da vida".

Dažbog também era o deus da chuva. Em muitas línguas eslavas, um cognato de "dazhd" significa a própria palavra chuva.

Russo: дождь (dozhd')
Ucraniano: дощ (doshch)
Polonês: deszcz
Esloveno: dež

Para entendermos a importância desse deus, é importante compreender o significado da chuva para as populações antigas principalmente. As pessoas praticavam todo tipo de ritual para que a chuva acontecesse, pois dependiam dela para que as colheitas acontecessem e, assim, tivessem o que comer.

Dažbog

Sabe-se que os eslavos se dirigiam aos deuses como iguais e consideravam-se descendentes deles. De fato, eles se consideravam netos do Dažbog, isto é, seus descendentes diretos. Naquela época, era incomum o neto conhecer seu avô, devido à curta expectativa de vida.

Ele era altamente adorado e respeitado pelo culto de adoração da chuva, o Dodole. Dodole era um grupo de meninas jovens e bonitas que realizavam rituais nos períodos de seca. Geralmente dançavam vestidas de branco, com guirlandas de flores na cabeça, cantando e rezando para que a chuva chegasse e acabasse com a seca.

Dažbog era considerado *o deus que dá*, trazendo safras ricas, ceifa e colheita, além de trazer uma nova vida, ajudando as famílias a se expandirem e as mães a darem à luz muitos filhos saudáveis. Em geral, na Rússia, Polônia e Bulgária, Dažbog é considerado principalmente a personificação do próprio Sol. Em vez de adorar apenas coisas que poderiam ser encontradas na natureza, como faziam naquela época, os eslavos começaram a dar nomes humanos a seus deuses, bem como outros traços e características, tornando cada deus mais ou menos inclinado aos humanos.

Dažbog é, em algumas versões, um dos filhos de Svarog. Ele montava um cavalo branco todas as manhãs ou ia de carruagem em direção ao céu, enquanto à noite morria ou ia para o submundo, e depois pela manhã voltava a se levantar. Nesse ritual, é visível a ciclicidade da morte e ressurreição, que de outra forma era muito comum em muitas religiões pagãs, bem como no paganismo eslavo.

Mais tarde, devido ao cristianismo, Dažbog passa a ser sinônimo de Diabo, como um processo de remoção do paganismo como principal competição. A figura de Dažbog aparece no folclore sérvio, e quase sempre era mencionado como um demônio do mal, provavelmente por ele frequentar o submundo ou o mundo dos mortos. Geralmente, ele era descrito como um velho manco, vestido em peles de urso e sempre acompanhado por um lobo.

O termo eslavo geral para "deus" ou "divindade" é *bog*, cujo significado original é "riqueza" e seu "doador", e está relacionado ao sânscrito *bhaga*. Alguns deuses eslavos são cultuados até hoje na religião popular, especialmente nas áreas rurais, apesar da cristianização de longa data das terras eslavas, além do fenômeno relativamente recente da fé nativa eslava organizada (Rodnovery).

JUTROBOG

Jutrobog é o deus da lua, mas também a luz da lua ao amanhecer, daí o significado de seu nome, "deus da manhã" ou "doador da manhã". A cidade de Jüterbog, em Brandenburg, possivelmente recebeu o seu nome em homenagem ao deus. O deus da lua era particularmente importante para os eslavos, considerado quem dava de abundância e saúde, adorado por meio de danças circulares e, em algumas tradições, considerado o progenitor da humanidade. A crença no deus da lua ainda estava muito viva no século XIX, e os camponeses dos Cárpatos ucranianos afirmavam que a lua era seu deus.

Jutrobog - Arte: Andrey Shishkin

STRIBOG

Na mitologia eslava, Stribog era o deus e espírito dos ventos, do céu e do ar, o conector do céu e da terra. Ele era considerado o ancestral (avô) dos ventos das oito direções (norte, sul, leste, oeste, nordeste, noroeste, sudeste, sudoeste), e as pessoas acreditavam que dependiam em grande parte de suas ações, porque ele poderia trazer geada, mas, de uma forma ou de outra, também riqueza.

Stribog - Arte: Andrey Shishk

Stribog é geralmente descrito como um velho magro com longos cabelos grisalhos emaranhados e uma barba muito espessa. Ele era frequentemente comparado ao deus hindu Vayu, o senhor dos ventos.

Muito pouco se sabe sobre Stribog hoje. Muitas informações sobre essa divindade foram perdidas, embora Stribog fosse um dos deuses mais importantes dos eslavos.

Testemunho de seu papel e importância é o fato de que ele é mencionado em todos os antigos épicos sobre os eslavos. No épico "Slovo o polku Igorove", diz-se que os ventos, netos de Stribog, sopram do mar.

Stribog também era um protetor de Vesna, a primavera. Sendo o deus do vento e do ar, trazia Vesna a cada primavera nas asas de um vendaval de primavera fácil. Juntos, eles derrotavam Morana a cada primavera e traziam a estação e melhores condições de vida ao mundo terreno.

A águia era o animal consagrado ao deus do vento, e suas plantas eram o espinheiro e o carvalho. Quando promessas eram feitas, Stribog costumava ser o fiador. As festividades em homenagem a ele eram organizadas tanto no verão quanto no inverno. Provavelmente eram organizadas no verão para invocar ventos e chuva, enquanto no inverno eram organizadas para apaziguá-los. No período de cristianização, as características de Stribog foram superadas por São Bartolomeu.

GEROVIT (YAROVIT)

Gerovit é um deus da guerra também associado à fertilidade e à agricultura. Em *Interpretatio romana*, ele é comparado ao deus romano da guerra Marte. Sua festa provavelmente caía em 15 de abril ou 10 de maio, que era o festival da semeadura. Seu símbolo era um escudo dourado mantido em sua têmpora.

Na ilha de Rujan, havia um templo no qual uma estátua de Gerovit com sete cabeças e oito espadas ocupava a posição central. O templo foi construído em madeira e tinha apenas uma sala com quatro colunas, enquanto as paredes eram decoradas com cortinas roxas. O que as sete cabeças de Gerovit (ou Rudjevit, como era chamado na ilha de Rujan) simbolizavam? Alguns pensam que esse deus incorporasse sete deuses do panteão de Kiev, enquanto outros afirmam que as sete cabeças representavam os sete meses de verão durante os quais Gerovit governava. O mesmo vale para as sete espadas, enquanto a oitava, que Gerovit segura em sua mão, representa um atributo de um deus da guerra. Havia também um escudo coberto com placas de ouro que era mantido no templo como um objeto sagrado e representava o próprio Gerovit.

A cor de Gerovit é vermelha, e ele está relacionado com o signo zodiacal de Áries. Depois que os eslavos se converteram ao cristianismo, o papel de Gerovit foi assumido por São Jorge, um santo guerreiro que luta contra as forças das trevas incorporadas na forma de um dragão. Algumas pessoas afirmam que esse dragão representa deuses pagãos e forças que o cristianismo proclamava serem demoníacas, e São Jorge, ao matar o "dragão", na verdade mata precisamente esses "demônios", mas não há provas sobre isso. Entretanto, se considerarmos que São Jorge é um "substituto" de Gerovit, essa explicação torna-se inválida: se ultrapassarmos os limites impostos por uma religião, nesse caso pelo cristianismo, chegamos à imagem de um deus solar justo, um deus que cumpre a lei da Justiça, que destrói as forças que tentam atrapalhar a Luz, forças que causam a degeneração e ruína de tudo o que é bom, belo e justo. Marte é o planeta relacionado a esse tipo de purificação divina e aniquilação do que deveria ser destruído. Outro fato apoia a teoria de que Gerovit e Marte são interdependentes: o deus grego Ares, equivalente ao romano Marte, é amante de Afrodite, e seu equivalente eslavo é Lada. Gerovit e Lada são representados na mitologia eslava como um casal divino. Uma possibilidade de interpretação dessa combinação é como uma mistura de Amor e Ódio, ou uma conexão entre Amor e Guerra que pode tornar-se o outro lado do Amor, e vice-versa.

TRIGLAV

O deus de três cabeças Triglav é um dos deuses mais misteriosos do panteão eslavo. É muito provável que suas três cabeças representem os céus, a terra e o mundo subterrâneo.

Cada estátua, ídolo ou escultura de Triglav o apresenta com os olhos cobertos nas três cabeças. Para alguns, isso se dá pelo poder assustador de seus olhos ou, como os sacerdotes do ídolo de Triglav acreditavam, a faixa representava que ele não podia ver os pecados dos humanos porque gostava muito deles.

Existem várias teorias que o colocam em diferentes papéis. Uma dessas teorias diz que ele é uma personificação simbólica do próprio deus supremo no sentido de que ele vê tudo, o céu de Svarog, a terra de Perun e o submundo de Crnobog.

Alguns sacerdotes diziam que Triglav "governava os três reinos", os céus, a terra e o inferno, e que ele, além de ser invisível, era a mais pura das divindades, que raramente descia à terra, porque não queria ver os erros dos homens. Em uma outra teoria, Triglav não seria o único deus, mas o nome comum para essa "trindade" mais crível.

Triglav

As biografias do bispo cristão Oton de Bamberg dos séculos XI e XII fornecem informações sobre os templos dedicados a Triglav. Monge Ebo, companheiro do bispo e biógrafo, escreveu que um dos templos de Triglav, em Stetin, era decorado com imagens de pessoas e animais do lado de fora. Essas fotos foram tão bem esculpidas que você poderia pensar que estavam vivas e que a cor era vívida e não desbotava sob a influência da neve ou chuva. Um décimo de todo o saque de guerra foi trazido para o templo de Triglav, então aí havia todos os tipos de armas, itens de ouro e prata e outros objetos de valor.

Comparadas às estátuas de outros deuses que costumavam ser enormes, as de Triglav eram relativamente pequenas. Por outro lado, eram feitas de ouro puro e prata, com três cabeças com cabelos flamejantes e faixas douradas sobre os olhos e a boca. Quando Stetin foi batizada, o bispo Oton demoliu o templo de Triglav, quebrou as três cabeças de sua estátua e a enviou ao papa em Roma.

A mesma biografia descreve a maneira como os sacerdotes de Triglav profetizaram o futuro em seu nome. Na verdade, em todas essas profecias, a figura central era o cavalo dedicado a Triglav, que tinha um dos sacerdotes ao seu lado o tempo todo. Após a conversão de toda a cidade ao cristianismo, apenas o guardião do cavalo permaneceu fiel aos antigos deuses e à religião.

Quando uma conquista estava sendo planejada, nove lanças eram colocadas no chão, uma à distância de um braço da outra, e um sacerdote então montava o cavalo selado sobre elas exatamente três vezes. Se o cavalo não tocasse em nenhuma das lanças, eles iriam para a guerra, mas, se ele tocasse, o povo desistiria dessa conquista em particular. Diz-se que a sela do cavalo também era feita de ouro e prata e mantida no templo ao lado da estátua de Triglav, porque os sacerdotes de Triglav acreditavam que seu deus montava seu cavalo à noite para afugentar os espíritos malignos.

O nome de Triglav é preservado hoje nos nomes dos picos das montanhas mais altas onde seus templos estavam.

CRNOBOG

Crnobog é o deus das trevas e o governante do mundo dos mortos, e a própria raiz da palavra *Crn* significa "escuro" nas línguas eslavas — por exemplo, no russo "черный" (*chyornye*).

Deuses totalmente maus são tão raros quanto os totalmente bons. Com isso em mente, podemos concluir que os deuses antigos podem ser divididos em bons e maus apenas por normas e critérios morais humanos (especialmente após a apresentação do dualismo *bem contra mal* pelo cristianismo), que aos olhos de todos os deuses poderosos têm pouco ou nenhum valor.

Todos os tipos de rituais na glória de Crnobog estão registrados na história, a maioria deles envolvendo mulheres. As cerimônias aconteciam à noite sob a luz de tochas ou grandes fogueiras. As mulheres dançavam até entrarem em transe, segurando cobras como oferendas a Crnobog.

Dia e Noite - Arte: Maxim Sukharev

Na tradição eslava, bebia-se uma taça de sacrifício nas festas, tanto em nome de bons como de maus, porque eles acreditavam que todo tipo de sorte deve vir de deuses bons e que todo tipo de infortúnio vem de deuses maus. Mesmo que Crnobog às vezes seja igualado ao diabo, está claro que ele não é apenas um demônio ou semideus maligno, mas um deus de sangue de todos os eslavos, o maior deus do submundo e de todos os males que podem assumir um número infinito de formas. Sacrifícios eram feitos, vinho era bebido em seu nome, assim como em nome de qualquer outro deus, e também tinha seu próprio culto.

Assim, os eslavos consideravam o papel de Crnobog necessário, o que o tornava igual a todos os outros deuses no panteão.

VELES

Na tradição eslava do sul, Veles é conhecido como o senhor da floresta e do gado, também senhor de todos os lobos. Mais tarde, ele se tornou São Vlaho, santo padroeiro da cidade croata de Dubrovnik. Essa conexão está implícita em um conto popular sobre São Vlaho no qual ele convence o lobo a devolver sua presa sã e salva. Fora isso, de acordo com uma lenda de Dubrovnik, Vlaho era amigo de todas as feras que viviam entre eles e as curava. Também existe uma crença interessante entre todos os eslavos de que, uma vez por ano, convocadas por seu mestre, todas as criaturas da floresta se reunem no centro da floresta. O vínculo entre Veles e os animais vai tão longe, que alguns acreditam que seu próprio nome se originou da palavra *vlas*, que significa um único fio de cabelo ou pele. Por causa disso, Veles às vezes é chamado de deus urso.

Os eslavos acreditavam que esse deus costuma ser mostrado na forma de um urso, embora Veles também seja capaz de se transformar em outros animais. Mas, em escritos posteriores, esse deus é apresentado como um demônio, tendo perdido suas antigas funções e depois se vinculando ao demônio e ao mundo subterrâneo. O fato é que a mitologia entre os primeiros eslavos também se desenvolveu como suas próprias vidas turbulentas, então, naturalmente, até mesmo os deuses mudaram com o passar dos anos aos olhos do povo. Quando suas safras morriam devido a secas severas, eles criaram um mito de como Veles roubara as vacas celestiais e as chuvas pararam. Mesmo que Veles sem dúvida fosse considerado um deus "travesso", ele ainda era um sujeito a adoração e respeito. Era ele quem protegia o gado da peste ou melhorava aos fazendeiros as safras e a fertilidade da terra. As pessoas comuns não queriam interferir nas lutas mitológicas entre Veles e Perun, mas na verdade os adoravam como grandes forças deste mundo, muitas vezes de acordo com suas próprias necessidades.

Veles - Arte: Peter Meseldzija

De acordo com muitas lendas, Veles é o inimigo jurado de Perun, o deus do trovão. Uma lenda diz que Veles roubou rebanhos, mulheres e seguidores de Perun, então houve um conflito. De acordo com outra lenda, Veles queria Dodol, a esposa de Perun. A tendência de Veles para enganar pode ser vista apenas a partir desses dois mitos.

Há também um terceiro mito em que a batalha entre Veles e Perun é na verdade a batalha imortal entre a terra e o céu, já que Veles está na terra e Perun no céu. Mesmo que Perun ganhe a luta, Veles sempre aparece novamente.

ZORYA, A DEUSA DO CREPÚSCULO E DO AMANHECER

Representando a estrela da manhã e a estrela do entardecer, Zorya é, como outros deuses eslavos, encontrada com dois ou às vezes três aspectos diferentes. Ela é aquela que abre os portões do céu todas as manhãs, como Zorya Utrennjaja, para que o sol possa nascer. À noite, como Zorya Vechernjaja, ela os fecha novamente para que o crepúsculo ocorra. À meia-noite ela morre com o sol e, pela manhã, renasce e desperta mais uma vez.

Em algumas partes da região eslava, Zorya é na verdade apenas a deusa do amanhecer, enquanto sua irmã Danica é a deusa do crepúsculo. Por outro lado, algumas pessoas acreditam que Zorya é uma deusa semelhante à romana Aurora. Para eles, Zorya representa a deusa de todos os três:

manhã, tarde e noite. Ela é ao mesmo tempo virgem, mãe e velha. E ela pode aparecer como Aurora de manhã e à noite.

Sadko no Reino Subaquático - Arte: Ilya Yefimovich Repin

    Todas as manhãs, à alvorada, ela (as pessoas então a chamavam de Estrela da Manhã) abre os portões do céu para o nascer do sol, e todas as noites, ao anoitecer, ela (como a

Estrela Vespertina) os fecha. Depois da meia-noite, Zorya morre com o sol e renasce na manhã seguinte, algo parecido com a vida de uma fênix.

Nossa deusa Zorya é muito semelhante a Aurora, deusa do amanhecer na mitologia romana e na poesia latina. Aurora é o amanhecer, sua personificação, vestida com uma túnica cor de açafrão. Virgílio mencionou-a como uma deusa do céu. Toda manhã Aurora sai do oceano, voa pelo céu e anuncia o nascer do sol. Quando se trata de Zorya, sua popularidade pode ser vista através dos romances, cidades e clubes esportivos que levam seu nome.

MOKOSH

Mokosh (também conhecido como Makosh) é uma deusa da fertilidade, da água e das mulheres na antiga mitologia ucraniana. De acordo com a crença popular, ela cuida de ovelhas e tece fio. O próprio nome é derivado da combinação de palavras *maty kota,* "mãe do gato", isto é, "mãe da boa fortuna". Ela está relacionada a Hécate e Afrodite na mitologia clássica e a Zhyva e Morena na mitologia eslava ocidental. Mokosh é mencionada na Crônica Primária como uma dos principais deuses, que incluem Perun, Khors, Dažbog e Stryboh. Alguns estudiosos acreditam que Mokosh era a esposa de Perun. Ela é retratada com uma cornucópia no ídolo Zbruch. Nos séculos XIV a XVI, seu culto foi transformado no de São Parasceve, e 10 de novembro (28 de outubro) foi designado como seu dia de festa.

Mokosh

DEVANA

Devana, Dziewanna ou Dilwica é a deusa eslava da natureza, das florestas e da caça. Ela é o equivalente eslavo da deusa romana Diana e da Ártemis grega. Seu nome, embora semelhante ao de Diana, pode ser derivado de uma palavra eslava que significa "virgem" ou "donzela" (*dziewa, dziewica*), ou então da raiz protoindo-europeia *dewas* ("deus, maravilha").

Entretanto, em vista do fato de que Devana e Diana são nomes muito semelhantes, pondera-se também a possibilidade de que os eslavos tenham tomado essa divindade dos romanos. Seu nome longo, Dziewona, ou Dzevana, como os poloneses costumavam chamá-la, lembra ainda mais o nome da deusa romana da caça, que é outro argumento a favor da teoria de que Devana não é uma divindade originalmente eslava.

Seu animal sagrado é a égua, e a própria Devana é considerada uma deusa-égua. No Monte Devica, que obviamente está conectado a Devana, foi encontrada uma rocha com a imagem de uma égua. É possível que se acreditasse que Devana fosse casada com o deus Veles. No início, a deusa se teria oposto a esse casamento, no entanto Veles encontrou uma maneira de aplacá-la: transformou-se em uma flor de manjericão e assim acalmou Devana, que era selvagem. Como esposa de Veles, Devana aparece nos contos de fadas russos como Vasilisa, uma bela mulher sábia que ajuda seu marido a vencer inúmeros desafios. Além de ser principalmente a deusa da floresta, Devana é associada a rios e lagos. Suas árvores são as aveleiras e também um salgueiro. O Dia do Salgueiro, uma festa celebrada no início da primavera, é dedicado a essa deusa.

MORANA

Morana era a deusa eslava do inverno e da morte, simbolizando um inverno longo e frio: um período que poderia trazer a morte por fome e frio extremo, que poderia causar doenças e morte em massa do gado.

Morana

É compreensível que ela nunca tenha sido uma deusa muito popular entre os antigos eslavos, se pensarmos em como o inverno rigoroso era difícil, especialmente naquela época.

Sua chegada, portanto, sempre era esperada com medo, e sua partida era comemorada com muito barulho e alegria. Seu oposto completo era a deusa Vesna, a quem o povo costumava receber com festas e alegria, ao mesmo tempo que comemoravam a partida de Morana. Diversos rituais eram feitos para celebrar o fim do inverno. As pessoas, por exemplo, costumavam fazer uma boneca representando Morana e depois a destruíam. Eles faziam a boneca geralmente com palha ou varetas e batiam nela com suas enxadas, e depois jogavam a boneca na água ou queimavam-na.

Havia outro ritual relacionado a Morana, que era realizado no mês de março. Era o chamado *mackare* (*maska* = máscara), quando um grupo de mascarados se reunia para assustar Morana e afastá-la.

Morana era descrita como uma mulher de cabelos escuros e uma aparência assustadora. Uma descrição semelhante era usada para outra criatura da mesma natureza — Kuga (*kuga* = a praga). Kuga era provavelmente apenas um dos aspectos de Morana. Outra era Mora, um demônio feminino que atacava as pessoas à noite e sentava-se em seu peito, causando pesadelos. As bruxas também estavam ligadas a Morana, como muitos outros seres demoníacos, mas não podemos afirmar que ela era uma deusa totalmente negativa: nenhum sistema pagão tinha uma divindade com tais características, uma vez que a divisão irrealista entre o bem absoluto e o mal absoluto veio apenas com o cristianismo. Com Morana, temos um exemplo de como nossos ancestrais adoravam até mesmo algo que não lhes trazia bem-estar, mas sim os deixava assustados e aterrorizados.

HORS

Não parece ter sido escrito muito sobre ele, mas o que sabemos é que ele era o deus do sol do inverno. Durante o dia, Hors se movia pelo céu; à noite, escondia-se no subsolo. Ele também está associado à cura e à doença.

Hors

Apesar da falta de informações sobre esse deus, sabemos que ele deve ter sido importante para o povo de Rus, porque sua estátua estava no panteão com os outros deuses considerados de grande importância pelo Príncipe Vladimir.

SUD/SUDENICA

Sud significa literalmente "Juiz" e é interpretado como o deus responsável pelo entrelaçamento do destino. Sudenica, que significa literalmente "aquela que julga", é sua contraparte feminina que se manifesta como as três deusas (chamadas de Sudenicy) que determinam o destino dos homens em seu nascimento. Muitas vezes, elas são apresentadas como as três filhas de Sud. O nome búlgaro Orisnica e suas variantes vêm da palavra grega ὁρίζων, *horízōn*, que significa "determinante". As Sudenicy às vezes são representadas tanto como mulheres idosas bem-humoradas quanto como belas jovens com olhos brilhantes, vestidas com roupas brancas e a cabeça coberta por panos brancos também. Elas usariam várias joias de ouro e prata e pedras preciosas, e segurariam velas acesas em suas mãos. Em outras tradições, apresentam vestes simples, com apenas uma coroa de flores ao redor de suas cabeças.

ZHIBOG/ZHIVA

Conceptualização da polaridade suprema como vida. Zhibog significa literalmente "Deusa da Vida", "Doadora da Vida", enquanto Zhiva significa "Aquela que vive". Eles são concebidos como irmãs ou esposas e deusas do amor, fertilidade e casamento. Zhibog é representada com uma cabeça de gato. Zhiva é a faceta oposta de Morana, a deusa da morte, e tem sido estudada como o aspecto terrestre e seco da grande deusa, em contraste com a vida celestial e chuvosa.

LESHACHIKHA

Leshachikha é uma deusa da terra, da natureza, da colheita, do nascimento e da proteção. Ela protege ferozmente suas terras, sendo nada gentil com quem abusa delas. Dessa forma, ela nos ensina sobre a reciprocidade e a fúria da natureza. Além disso, o aspecto vigilante de Leshachikha pode ser aplicado às nossas terras figurativas — por exemplo, protegendo nossas casas.

Sempre que você precisar de um pouco mais de energia protetora, pegue uma folha caída e coloque-a no bolso, e isso manterá os poderes de guardiã de Leshachikha com você o dia todo. Para trazer essa proteção para sua casa, encere a folha para preservá-la, sustentando simbolicamente, assim, a energia mágica mantida para sempre. Coloque a folha encerada perto da entrada ou na sala onde você passa mais tempo.

Vá para um campo ou parque próximo e espalhe algumas sementes em Leshachikha para saudá-la quando ela despertar. O fim do inverno marca o início da estação de arada nas regiões eslavas. Antes dessa data, a terra é considerada grávida e é um crime contra a natureza e contra

Leshachikha arar o solo com ferramentas de ferro quando ainda dá à luz uma criança mágica (primavera). Uma vez que a terra deu à luz, os campos podem então aceitar novas sementes, que os pássaros também apreciarão!

Leshachikha é uma deusa bastante temperamental e guarda ferozmente a terra e os animais da floresta, punindo aqueles que abusam deles. Ela é esposa do deus da floresta, o Lesnik, e mãe dos Leshonki. Essa família morre em outubro e renasce na primavera. Como dissemos, eles eram criaturas territoriais, muitas vezes desencaminhando aqueles que entravam em suas florestas e raptando crianças que vagavam pela mata, mas quase sempre os libertam no final. Para evitar seus feitiços, deve-se tirar a roupa debaixo de uma árvore, vesti-la ao contrário, colocar os sapatos nos pés opostos e fazer o sinal da cruz.

LESNIK

Lesnik, Lesovik, Lesak, Lesun, entre outras variações, era o espírito da floresta dos velhos eslavos. Sua conexão com a floresta é visível em seu próprio nome, já que *les* na língua eslava antiga (e em muitas línguas eslavas vivas também) significa "floresta". Há uma grande variação de seu nome dependendo de cada país.

Lesnik era imaginado como uma criatura antropomórfica, mas tinha a cabeça de um animal com chifres e cabelos e barba feita a partir da grama, e era coberto de pelos. Geralmente é descrito como um homem alto, mas que é capaz de mudar de forma. De acordo com a crença, ele tem a pele branca e pálida, que contrasta com os seus brilhantes olhos verdes. Ele às vezes é considerado semelhante ao diabo, tanto que não era incomum também o imaginar com cascos.

Nos rituais, os homens apareciam mascarados como Lesnik e provocavam *snaska*, um homem vestido de mulher.

Lesnik era tido como bem-disposto com os pastores e vigiava seus rebanhos. Ele era o protetor de animais selvagens, uma característica que parece contraditória à anterior, uma vez que os animais selvagens e domésticos eram percebidos como inimigos, mas o papel dele era, na mente do homem da época, completamente aceitável, porque Lesnik estava encarregado de administrar esse antagonismo. Mais tarde, esse papel foi transferido para São Sava, que era o protetor dos animais domésticos e, ao mesmo tempo, o pastor da matilha de lobos. Lesnik poderia aparecer em forma completamente humana, só que, nesse caso, ele teria apenas um olho ou não teria cílios. Segundo as histórias populares, Lesnik vivia em todas as florestas grandes. Ele frequentemente sequestrava mulheres bonitas e as levava para suas cabanas, fazendo as meninas dançarem em círculo ao seu redor. Os ursos eram seus animais de estimação, e eles estavam frequentemente juntos. A lenda diz que Lesnik não tinha sombra: anunciava sua chegada fazendo barulho.

Lesnik pertence ao grupo das mais antigas criaturas: talvez apenas demônios e fantasmas da água sejam mais velhos que ele. O fenômeno de uma criatura como Lesnik não se restringe às tribos eslavas, sendo, na verdade, pan-

-europeu. Quase todas as pessoas na Europa tinham um ser próprio com características semelhantes às de Lesnik. Para alguns, era o espírito da floresta, como era para os eslavos, enquanto para outros era um dos deuses. Por toda a Europa, encontramos vários nomes — Pã, Sátiro, Silen, Fauno, Silvestre e Dionísio. As estreitas semelhanças entre as características dessas criaturas e o Lesnik eslavo não são difíceis de notar. Se pensarmos que eles eram uma das divindades mais antigas, é de se imaginar que eram realizadas cerimônias religiosas nas matas e florestas. As florestas eram profundamente respeitadas, e muitas plantas e árvores eram consideradas sagradas, podendo ter até poderes sobrenaturais. Lesnik é mencionado em quase todos os registros dos eslavos antigos.

Lesnik

CRIATURAS FOLCLÓRICAS

A FÊNIX: O PÁSSARO DE FOGO

O pássaro lendário fênix é conhecido em muitas culturas em nosso mundo. Na maioria das histórias e culturas, ela sempre foi descrita como um pássaro vermelho com plumagem dourada. De acordo com lendas e contos antigos, esse pássaro mítico não come nenhum ser vivo: na verdade, só bebe orvalho. A fênix é uma mensageira dos deuses e, como tais criaturas celestiais, tornou-se a testemunha da expulsão de Adão e Eva do jardim do fruto proibido. Entretanto, o pássaro de fogo tem raízes mais antigas que o cristianismo: desde antes, ele já estava conectado com o culto do sol e o renascimento de uma nova vida; geralmente ele se manifestava durante o solstício de verão. Nos tempos antigos, sempre surgia das cinzas e se recriava como uma nova explosão de vida (assim como a primavera), mas a fênix sempre foi autoconsciente e poderia sentir a aproximação de sua morte. É por isso que a cada ano a fênix tecia um ninho de madeira e resina antes do inverno, e esse ninho durante o verão ou a primavera queimava sob o sol quente e reanimava o pássaro com suas chamas novamente.

No folclore eslavo, a fênix é comumente chamada apenas de pássaro de fogo e é vista como um majestoso pássaro flamejante que brilha na cor vermelho-laranja.

Como os eslavos chamam o pássaro de fogo em suas línguas:

Russo: Жар-пти́ца, Zhar-ptitsa;

Ucraniano: Жар-пти́ця, Zhar-ptica;

Sérvio: Жар-птица ou Žar-ptica;

Croata: *Žar ptica;*

Búlgaro: Жар-птица, Zhar-ptitsa;

Macedônio: Жар-птица, Žar-ptica;

Polonês: *Żar-ptak;*

Checo: *Pták Ohnivák;*

Eslovaco: *Vták Ohnivák;*

Esloveno: *Rajska / zlata-ptica.*

Na mitologia oriental antiga, a fênix é um dos quatro animais sagrados. Essa criatura vermelha para os antigos chineses simbolizava seus sinais sagrados de *yin-yang* e o sol como a beleza de nosso mundo. A aparência dessa criatura simbólica está ligada à estabilidade, paz, riqueza, prosperidade e bem-estar geral. Os japoneses, por exemplo, associam isso com a lealdade, a justiça e o sol — todos nós sabemos que este último é um dos principais símbolos para o Japão. Havia muitas lendas folclóricas rurais que diziam que, "se uma mulher grávida sonhasse com um pássaro durante o sono, isso significaria que seu filho seria saudável e teria um grande futuro". Se você tivesse um talismã da fênix, isso lhe daria o poder em situações difíceis nas quais nada parece poder ajudá-lo (de acordo com a crença popular, é claro). Em geral, esse pássaro ensina um homem a sair vitorioso de quaisquer dificuldades em sua vida, quando tropeça e é obrigado a se reerguer.

Entre os judeus e sua Cabala, a fênix foi a única criatura que não provou o fruto proibido no Jardim do Éden. Aos olhos de Deus, a fênix era uma companheira leal e foi recompensada com a imortalidade. No entanto, não era uma imortalidade comum, mas aquela em que teria de passar por uma morte dolorosa para renascer. Esse também é um símbolo comum no cristianismo com o Senhor Jesus Cristo, que ressuscitaria após a tortura pela população de Roma. Simplesmente, era um ciclo de vida e morte que, por sua vez, criaria a vida eterna.

A FÊNIX NOS CONTOS DE FADAS ESLAVOS E MITOLOGIA

Sendo uma criatura tão magnífica e que causa espanto e admiração na maioria das culturas, não é de admirar que os eslavos também a elogiassem muito. O pássaro de fogo tornou-se um dos personagens principais dos contos de fadas eslavos e até mesmo dos mitos nacionais, especialmente na Rússia.

Os eslavos, contudo, não imaginavam o pássaro de fogo como um pavão flamejante, mas na verdade como um falcão, porque na maioria dos países eslavos o falcão é um símbolo e epítome de masculinidade, força, valor e coragem. Em muitas regiões, o falcão é visto como um protetor nacional, um guerreiro da justiça dos céus e, como tal, um pássaro de fogo.

O pássaro de fogo é descrito como um grande pássaro com plumagem majestosa que brilha intensamente emitindo luz vermelha, laranja e amarela, como uma fogueira. As penas não param de brilhar se removidas, e apenas uma pena pode iluminar uma sala inteira. Na iconografia posterior, a forma do pássaro de fogo é geralmente a de um pequeno falcão cor de fogo, completo com uma crista na cabeça e penas da cauda com "olhos" brilhantes. É lindo, mas perigoso, não mostrando nenhum sinal de amizade.

Arte: Nikolai Kochergin

O papel típico do pássaro de fogo nos contos de fadas é ser o objeto de uma busca difícil. A busca geralmente é iniciada encontrando uma pena de cauda perdida, momento em que o herói sai para encontrar e capturar o pássaro vivo, às vezes por conta própria, mas geralmente por ordem de um pai ou rei. O pássaro de fogo é incrível, mas o herói, inicialmente encantado com a maravilha da pena, acaba culpando-o por seus problemas.

Os contos do pássaro de fogo seguem o esquema clássico dos contos de fadas, nos quais a pena serve de premonição para uma jornada difícil, e eventualmente são encontrados, no caminho, ajudantes mágicos que auxiliam na viagem e na captura do pássaro.

O pássaro de fogo também é um símbolo de luz, e diz-se que, quando uma pena de sua cauda cai no chão, nasce uma nova tradição artística, daí porque é um motivo tão popular entre os artistas.

ALKONOST E GAMAYUN

Alkonost e Gamayun são criaturas mitológicas com o corpo de um pássaro e a cabeça de uma bela mulher. Elas são descritas como seres míticos que têm a capacidade de hipnotizar os humanos com suas vozes encantadoras. Referências e representações de Alkonost e Gamayun podem ser encontradas em crônicas russas, em monumentos de catedrais do século XIII e em joias da era de Kiev na Rússia.

A Alkonost é uma ave lendária da mitologia eslava, com o corpo de uma ave e o rosto de uma mulher. Ela exala beleza e docilidade e voa por aí projetando um som que é requintado e hipnotizante. Alkonost apaixona quem a ouve e imobiliza mentalmente até que desconsiderem tudo para ouvir suas deliciosas melodias. Seus ovos são postos na praia e depois chocados no oceano. De acordo com uma versão do folclore eslavo, ela consegue regular o clima conforme sua preferência; há uma calmaria antes de uma tempestade por sete dias até que os ovos eclodam completamente.

Sirin (à direita) e Alkonost (à esquerda)

Não se sabe ao certo de onde o mito realmente se origina, mas acredita-se que os seres míticos podem ter sua origem na mitologia grega. Dizem que o nome de Alkonost veio de Alcíone, uma deusa grega que foi transformada em um guarda-rios (pássaro). Ao mesmo tempo, a Alkonost, com sua voz fascinante e forma metade mulher, metade pássaro, é comparável às sirenas, com as quais ela é frequentemente retratada. A sirena, contudo, está essencialmente associada à tristeza e à escuridão, diferentemente de Alkonost, que surge para se alegrar e rir.

A Gamayun, como a Alkonost, é ilustrada como uma grande figura de pássaro com cabeça de mulher. Sua imagem icônica representa felicidade, prosperidade e harmonia, e é essencialmente uma mensageira de paz, cantando lindas melodias. Ela é considerada profética na Rússia, pois está ciente de tudo o que ocorre no mundo, incluindo o mundo dos homens e dos animais, dos deuses e dos heróis. Ela mora em uma ilha no leste, perto do rio Eufrates ou do Éden. A Gamayun geralmente não é retratada como Alkonost nem com as sereias: ela está permanentemente sozinha, conhecendo o destino secreto dos humanos e do mundo.

Gamayun cooperou com deuses russos pagãos, notadamente Kryshen, Kolyada, Dažbog e Veles, estando ciente da verdadeira natureza de todos os deuses e humanos, tendo cantado até no Livro dos Vedas. Acredita-se que seus hinos sejam divinos e tenham propriedades mágicas; sua voz é difícil de entender e decifrar, mas os poucos humanos que podem compreender suas palavras podem ter seu futuro profetizado e a opulência como um presente. Em contraste a Alkonost, o pássaro não é derivado da Grécia antiga, mas da mitologia iraniana, e acabou ganhando reconhecimento na Rússia.

AS DONZELAS-PÁSSAROS NO CRISTIANISMO

Tanto Alkonost quanto Gamayun desempenharam um papel importante na sociedade da antiga Rússia, inclusive após a introdução do cristianismo. Quando o cristianismo se tornou a nova religião monoteísta na Rússia em 988 d.C., os pagãos russos resistiram. Muitos, no entanto, foram conquistados depois que seus deuses e seres sagrados foram incorporados ao cristianismo de uma forma ou de outra, incluindo a imagem de donzelas-pássaros, que eram imensamente importantes em toda a sociedade antes dos ensinamentos de Cristo. A velha Rússia acreditava fundamentalmente na natureza e em elementos como o sol, a chuva, o vento, os animais e os pássaros com signos protetores. A Igreja retirou os símbolos de proteção associados aos pássaros auspiciosos, mas permitiu que a representação costumeira dos seres míticos continuasse.

O pássaro Gamayun - Arte: Viktor Vasnetsov

Alkonost, por exemplo, é considerada uma personificação da vontade de Deus na Igreja Ortodoxa Russa. A Igreja, portanto, usou a imagem icônica de Alkonost para ilustrar o Espírito Santo, nas bordas dos livros do evangelho cristão do décimo ao décimo terceiro século. No porto de Korsun no Mar Negro e em Kiev, imagens de Alkonost aparecem em vários utensílios domésticos, como pratos de cerâmica, pingentes de ouro e *kolty*. Ela também pode ser vista em várias esculturas em madeira, como na Catedral Dmitrovsky em Vladimir e na Catedral Georgievsky em Yurev-Podolsk, construída no século XIII, em figurinos e nas gravuras Lubok do século XVI, vendidas em mercados e feiras.

Da mesma forma, Gamayun ganhou importância entre as nações eslavas. O grande meio-pássaro, meio-mulher havia sido retratado no brasão dos assentamentos russos e em muitas regiões da Rússia. Tais criaturas divinas conseguiram manter sua popularidade no russo moderno devido às suas associações e adaptação, podendo continuar a desempenhar um papel significativo no folclore russo nos séculos vindouros.

BABA YAGA

Baba Yaga é uma figura única — e uma das mais recorrentes — no folclore eslavo. Muitos outros deuses e criaturas eslavas têm equivalentes na mitologia romana ou grega, mas Baba Yaga não.

Seus contos provavelmente surgiram nas florestas do norte da Rússia e da Finlândia há muitos e muitos anos. O povo que morava ali tinha estátuas de pedra chamadas Yaga, que, por muitas vezes, tinham suas próprias cabanas, construídas em tocos de árvores. Eram estátuas de uma deusa local, a quem pediam conselhos e que teria poder sobre o destino das pessoas, um pouco como a Baba Yaga que conhecemos.

Baba Yaga é frequentemente descrita como uma bruxa velha, assustadora e selvagem, com um apetite terrível por comer pessoas. Em muitas sociedades antigas, as mulheres mais velhas eram vistas como guardiãs da sabedoria e da tradição da família ou da tribo, uma vez que, não precisando mais cuidar dos filhos, tornavam-se mães para o resto da comunidade. Acreditava-se que essas mulheres sábias entendiam os mistérios ao redor da vida, desde os segredos do nascimento até a morte. Originalmente, acreditava-se que bruxas eram mulheres muito sábias. Mais tarde, a partir do século XII, quando as pessoas começaram a acreditar no uso do poder mágico para o mal, passaram a temer e odiar essas sábias mulheres e todas suas poções e conselhos. Assim, muitas foram mortas, e o conceito de "bruxa" foi se transformando no da velha bruxa assustadora, feia e má, que lança feitiços perversos, como conhecemos hoje.

Baba Yaga é, sem dúvidas, uma das figuras mais ambíguas do folclore eslavo, porque, embora seja descrita como uma bruxa velha e aterrorizante, ela também é sábia, poderosa e benevolente. Ela é, ao mesmo tempo, selvagem e cruel, mas também pode ser muito gentil se a pessoa merecer. Pode-se dizer que a figura da Baba Yaga faz uma ponte entre a imagem das mulheres sábias dos primeiros mitos e as bruxas do folclore ou dos contos de fadas. É, sem dúvidas, uma figura emblemática e muito ambígua: há histórias nas quais ajuda pessoas em suas buscas e outras nas quais rapta crianças e ameaça comê-las. Procurar sua ajuda é considerado perigoso, e é necessário muito preparo antes de tentar qualquer contato com ela.

Como é de se imaginar, dada a considerável vastidão geográfica no qual o povo eslavo estava espalhado, há inúmeras variações e versões diferentes de sua história. Até seu nome pode sofrer alterações! Por exemplo, Ježibaba em tcheco e eslovaco, e Jaga Baba em esloveno.

Como a maioria das bruxas, Baba Yaga pode voar, mas ela não usa uma vassoura para isso. Nos contos russos, Baba Yaga voa em um almofariz, usando um pilão como remo e apagando os rastros com uma vassoura de vidoeiro prateado. Onde quer que ela apareça, um vento selvagem começa a soprar, as árvores gemem e as folhas rodopiam no ar.

Sua casa é uma cabana no fundo de uma floresta de bétula, em um local difícil de encontrar, a menos que um fio mágico mostre o caminho. A cabana tem vida própria: fica sobre grandes pernas de galinha e pode se mover. Suas janelas funcionam como olhos e a fechadura de sua porta é cheia de dentes. Aliás, a porta está sempre do lado oposto de quem quer entrar e só aparece quando é dita a frase mágica: "Cabana, ó cabana, vire as costas para a floresta e a frente para mim". Uma cerca do poste circunda a cabana, feita de ossos humanos e cobertos com caveiras cujas órbitas ardentes iluminam a floresta. Muitas vezes a cabana é guardada por cães famintos, gansos maus, cisnes ou um gato preto.

Embora consiga comer até dez pessoas de uma vez, Baba Yaga é muito magra e ossuda como um esqueleto, e seu nariz é muito comprido e curvado. Ela domina os elementos (fogo, ar, terra e água). Seus servos fiéis são o Cavaleiro Branco, o Cavaleiro Vermelho e o Cavaleiro Negro. Ela os chama de "Meu amanhecer brilhante, meu sol vermelho e minha meia-noite escura", porque, como os nomes sugerem, controlam o amanhecer, o entardecer e o anoitecer. Alguns de seus outros servos são seus amigos de alma (três pares de mãos sem corpo, que de repente parecem realizar seus desejos) e seu pastor, o feiticeiro Koshchey, o Imortal.

Pode parecer estranho que alguém procure Baba Yaga ou entre em sua cabana. No entanto, ela tudo sabe, tudo vê e diz toda a verdade àqueles que são corajosos o suficiente para perguntar. Muitas vezes, um herói ou heroína entra em sua cabana procurando sabedoria, conhecimento, verdade ou ajuda, como Vasilisa. Baba Yaga ajuda os heróis e heroínas, dando conselhos, encontrando armas e facilitando as tarefas.

Por ser uma predadora da floresta, ela é capaz de encontrar pessoas pelo cheiro. Seu bordão é: "Sinto o cheiro do espírito russo". Isso corrobora com a teoria de que ela não seja russa, mas uma figura pagã ancestral, que acabou sendo demonizada pelo cristianismo.

 A origem e o significado do nome Baba Yaga continuam incertos. Uma variedade de etimologias vem sendo atribuída por linguistas ao longo dos séculos, mas o nome continua problemático. Max Vasmer sugere que o nome Baba Yaga poderia ser derivado do protoeslavo ęga, que significa "dor". A palavra *baba* pode significar "avó" em algumas línguas eslavas, mas, em outras, pode ter uma conotação pejorativa, como no polonês, que se refere a uma mulher feia ou alguém de que você não gosta.

 Já no sânscrito, *baba* significa "velha" ou "sábia", e *yaga* viria de *yajna*, o que se relaciona ao fogo e ao sacrifício da tradição védica. De acordo com essa linha, o termo Baba Yaga então estaria relacionado a algo como "Sábia do Fogo" ou "Sábia da Transformação". De acordo com Andrea Johns em *Baba Yaga: The Ambiguous Mother and Witch of the Russian Folktale*, termos relacionados a *yaga* aparecem em várias línguas eslavas: a palavra sérvia e croata *jeza* ("horror", "arrepio", "calafrio"), o esloveno *jeza* ("raiva"), checo antigo *jězě* ("bruxa"), o checo moderno *jezinka* ("dríade") e o polonês *jędza* ("bruxa", "fúria"). O termo aparecia também no eslavo eclesiástico como *jęza* ou *jędza* ("doença", "enfermidade"). Pode-se entender, dessa forma, que o significado dessa mulher sábia esteja entrelaçado com o de "bruxa".

Os pesquisadores estão tentando reconstruir a função original de Baba Yaga como governante de animais da floresta e uma figura associada ao mundo dos mortos, talvez uma divindade feminina degradada ou um demônio. Também é possível que Baba Yaga tivesse função como a sacerdotisa responsável pela iniciação ritual da juventude, daí o motivo de devorar crianças. Segundo o professor Zygmunt Krzak, do Instituto de Arqueologia e Etnologia da Academia Polonesa de Ciências, trata-se de uma figura desonrada da ex-deusa, uma característica criada pelas elites religiosas e seculares masculinas que combatem a religião matriarcal.

Baba Yaga lembra Kali, a deusa hindu da morte, a Dançarina das Lápides. Embora, na maioria das vezes, consideremos Baba Yaga como um símbolo da morte, ela é uma representação da Velha no simbolismo da Deusa Tripla. Ela é a Morte que leva ao Renascimento. Aliás, a história de Baba Yaga é cheia de simbolismos. É curioso que alguns contos de fadas eslavos mostram Baba Yaga vivendo em sua cabana com suas outras duas irmãs, também Baba Yagas. Nesse sentido, Baba Yaga torna-se a Deusa Tripla plena, representando a Virgem, a Mãe e a Anciã. Baba Yaga às vezes também é descrita como uma guardiã da Água da Vida e da Morte. Quando alguém é morto pela espada ou pelo fogo, quando aspergido com a Água da Morte, todas as feridas saram, e depois disso, quando o cadáver é aspergido com a Água da Vida, renasce. O simbolismo do forno nos contos de fadas de Baba Yaga é muito poderoso, já que desde os tempos primordiais é uma representação do útero e do pão assado. O útero, é claro, é um símbolo de vida e nascimento, e o pão cozido é uma imagem muito poderosa da terra, um lugar onde o corpo é enterrado para renascer. É interessante que Baba Yaga chama seus convidados para se limparem e comerem antes que ela os coma, como se os preparasse para sua jornada final, para entrar na morte, que resultará em um renascimento limpo. Baba Yaga também dá à sua presa uma escolha quando ela pede que se sente em sua espátula para ser colocada dentro do forno: se alguém for forte ou espirituoso, ele ou ela escapa do fogo; para os fracos ou estúpidos, o caminho para a morte fica claro.

Baba Yaga é a velha que guarda as águas da vida e da morte. Ela é a Senhora Branca da Morte e do Renascimento, e também é conhecida como a Antiga Deusa dos Ossos Velhos. Mas o que isso quer dizer? Os velhos ossos simbolizam as coisas às quais nos agarramos, mas devemos finalmente deixar passar. Quando experimentamos morte, escuridão, depressão ou vazio espiritual em nossas vidas, viajamos para a cabana de Baba Yaga, onde ela recolhe nossos ossos e derrama as águas sobre eles, enquanto canta, e, dessa forma, faz-nos renascer. Ela destrói e então ressuscita. Baba Yaga simboliza a morte da ignorância. Ela nos força a ver nosso verdadeiro eu mais sombrio, então nos concede uma sabedoria profunda que podemos alcançar aceitando as sombras escuras dentro de nós. Só podemos receber ajuda de Baba Yaga aprendendo humildade. Seus dons podem nos destruir ou nos iluminar.

Baba Yaga - Arte: Viktor Vasnetsov

Baba Yaga é um assunto favorito dos filmes e desenhos animados russos. O filme de animação *Bartok, o Magnífico*, apresenta Baba Yaga como personagem principal, mas não como o antagonista. O filme *Vasilissa*, de Aleksandr Rou, com Baba Yaga, foi o primeiro longa-metragem com elementos de fantasia na União Soviética, e a figura apareceu com frequência durante a era soviética. Naquela época, ela foi interpretada como uma exploradora de seus animais.

Baba Yaga é a principal antagonista no romance de fantasia *Enchantment*, de Orson Scott Card; aparece no conto *Joseph & Koza*, do escritor ganhador do Prêmio Nobel Isaac Bashevis Singer, e com frequência aparece numa revista infantil popular, *Contos de Jack e Jill*.

Baba Yaga também foi retratada em duas obras musicais famosas. *Modest Mussorgsky's Pictures at an Exhibition*, uma suíte para piano composta em 1874, apresenta *A Cabana nas Pernas de Pássaro (Baba Yaga)* como seu penúltimo ato. *Baba Yaga*, um poema sinfônico de Anatoly Lyadov, retrata a Baba Yaga convocando seu almofariz, pilão e vassoura e, em seguida, voando pela floresta.

Clarissa Pinkola Estes, autora junguiana de *Women Who Run With the Wolves*, utilizou vários contos de fadas para descrever os estágios do desenvolvimento feminino. Baba Yaga também fez várias aparições no RPG de fantasia *Dungeons & Dragons*.

BABICAS, NOCNICAS

Babicas são demônios femininos de doenças durante o parto. Elas são más, causam doenças e podem até chegar a matar o filho recém-nascido e a mãe. Os primeiros quarenta dias após o nascimento eram os meses em que a criança estaria mais suscetível a demônios e forças malignas. A mãe e a criança eram consideradas impuras durante esse período e, portanto, suscetíveis ao ataque de Babicas.

Após a conversão ao cristianismo, a criança passou a ser considerada impura até ser batizada. Provavelmente existia, mesmo antes da cristianização, um rito que tornava a criança um membro aceito da comunidade, após o qual não poderia ser atacada por espíritos malignos. Babicas, ou Nocnicas, como também eram chamadas, também podiam atacar indiretamente, por meio de um objeto com o qual o bebê e sua mãe entraram em contato. Por esse motivo, roupas ou quaisquer outros objetos que fossem tocados pela mãe e pela criança nunca ficavam ao ar livre durante a noite. Quarenta dias após o parto, deveria haver uma luz acesa constantemente na casa, já que se acreditava que os demônios tinham medo dela. Geralmente, o fogo tinha um papel muito importante nas mitologias de todas as tribos indo--europeias. Acreditava-se que o fogo era divino. Em muitas mitologias, o fogo era personificado em uma divindade, ou pensava-se que um deus havia passado o conhecimento do fogo para os homens.

Os demônios da doença do parto chamados de Babicas ou Nocnicas com frequência eram eufemisticamente referidos apenas como "elas". Substitutos eufemísticos para nomes de espíritos malignos poderiam ser explicados pelo fato de que pronunciar o nome de uma divindade ou demônio era considerado o mesmo que evocar sua presença. Os nomes reais dos demônios, e até dos deuses, raramente eram usados. Isso representa um problema para os pesquisadores porque, consequentemente, muitos nomes de demônios foram esquecidos.

Babicas sempre atacavam durante a noite. Poderia haver uma ou mais — quanto mais delas aparecessem, maior o dano que poderiam causar. As ações realizadas contra os demônios do parto eram principalmente preventivas, mas também havia ações tomadas para neutralizar os efeitos nocivos. Entre as ações preventivas está a luz e o fogo mencionados acima, que precisavam ser mantidos acesos constantemente por quarenta dias. Em algumas regiões, a criança era untada com alho, porque se acreditava que os espíritos malignos tinham medo dele. Coisas que exalam mau cheiro, como alcatrão, enxofre, sapatos velhos, chifre e artigos semelhantes, eram queimadas ao redor do bebê.

O ferro era usado em algumas áreas para lutar contra Babicas. O poder mágico do ferro era conhecido em toda a Europa. Na Índia, o ferro era considerado proteção contra os maus espíritos.

A água também era uma forma de proteção, pois era vista como purificadora em todos os sentidos e, portanto, defendia a mãe e a criança. Encantamentos eram realizados exclusivamente por mulheres e incluíam feitiços proferidos que assegurassem a benevolência de deuses e demônios e, assim, curassem a doença.

CHANGELINGS: AS CRIANÇAS TROCADAS

O nascimento de uma criança é considerado um presente especial em muitas culturas antigas e contemporâneas. Os eslavos não diferem a respeito disso e ainda se acredita, em alguns lugares, que a boa vontade dos ancestrais é responsável por um presente tão precioso como o recém-nascido. Se uma mãe que amamenta cuida bem de um bebê, os ancestrais a protegem e facilitam a multiplicação de seus parentes, mas, se ela for descuidada e mostrar-se indigna de seu presente, a proteção é retirada e as forças negativas que vagam livremente com o objetivo de roubar a criança no momento de negligência podem ser um risco. Conta-se que o diabo, bruxas, fadas e demônios de todos os tipos podem matar a criança ou trocar a criança humana por uma criança demoníaca. Muitas vezes, a troca do filho é temporária, porém nem sempre é esse o destino das crianças sequestradas.

Diz a lenda que o período mais vulnerável para que a troca aconteça é durante os quarenta dias após o parto, enquanto o bebê legítimo ainda não foi batizado. As mães que deixam seus recém-nascidos sozinhos enquanto trabalham no campo colhendo frutas ou fazendo outros trabalhos domésticos são as vítimas mais prováveis da troca de filhos, mas também pode acontecer com mães que amaldiçoam seus filhos invocando as criaturas mitológicas (por exemplo, "Que as fadas te levem!").

O Changeling - Arte: Henry Fuseli

Inúmeras precauções podem ser tomadas para evitar o sequestro de crianças, especialmente fazer o sinal da cruz na banheira onde o bebê toma banho. Algumas outras medidas comuns são manter um objeto pontiagudo próximo à mãe que amamenta, deixar a vela acesa a noite toda, e uma a tigela de água embaixo dos ícones. O costume russo é colocar a vassoura no canto, ou embaixo do berço, para servir de "guardião". Os polacos confiam em medalhões dos santos, que penduram nas portas e nas janelas, e os chapéus vermelhos pendurados na cabeça do bebê também eram populares. O costume sérvio é amarrar uma pulseira vermelha no tornozelo de um bebê, popular também em outros países.

Se as medidas de proteção falharem e as crianças forem trocadas, aquela que ficou no lugar vai se tornar agressiva e crescer lentamente, além começar a andar e falar mais tarde do que as outras crianças. Diz-se que a criança chora muito, dorme mal, parece desproporcional, ri estranhamente e, segundo algumas lendas, até ganha chifres. Apesar desses sinais óbvios, os pais demoram a entender, porque somos todos subjetivos em relação aos nossos filhos.

No entanto, existem algumas maneiras pelas quais a criança demoníaca pode revelar sua verdadeira natureza. Uma delas, frequentemente descrita em lendas, é que um *changeling* consegue conversar com um demônio. Isso pode ocorrer em qualquer lugar, mas na maioria das vezes o outro demônio fala com uma criança de um corpo d'água, como um rio ou lago, chamando o *changeling* com seu nome verdadeiro, que responde prontamente de maneira amigável. Outra forma de reconhecer o *changeling* é esconder-se à noite e observar seu comportamento. Normalmente, o *changeling* se levanta e come de forma insaciável, ou até mesmo faz algo que prejudicava a família, como envenenar sua comida.

Para os pais que se certificaram de que estão criando um *changeling*, existem maneiras de forçar a mãe verdadeira a se manifestar. Borrifar a criança demoníaca com a água benta, trazê-la para perto do forno, açoitá-la ou até jogá-la na água, invoca a criatura que a trouxe. A ideia é que, nesses casos, a mãe demoníaca devolva a criança real para salvar a vida de um *changeling*. Ela geralmente repreende a mãe humana, dizendo "Tratei seu filho tão bem, e veja o que você faz com o meu! Aqui está o seu precioso filho de volta", e depois desaparece. No entanto, existem alguns pais que preferem manter o *changeling*, quando descobrem que ele tem habilidades sobrenaturais. Lendas polonesas contam que alguns *changelings*, após serem expostos, ofereceram-se para trazer dinheiro para casa para a troca de cuidados diários. Todos os pais gananciosos que consentiram foram enganados, porque o dinheiro ganho dessa forma desapareceu ou se transformou em papel comum depois que o *changeling* decidiu partir.

Não há consenso sobre o paradeiro dos filhos legítimos, roubados pelas criaturas mitológicas. Alguns contos russos afirmam que o diabo os coloca em masmorras estreitas, onde choram e amaldiçoam a mãe descuidada por não os ter protegido melhor. Outras lendas russas afirmam que as crianças roubadas são criadas por criaturas mitológicas como os *rusalki*, e crescem, tornando-se uma delas. Também existe a crença de que a criança roubada vive com espíritos da floresta e aprende a arte da magia. Se a criança for devolvida aos pais originais, pode ser útil para toda a comunidade como um curandeiro, porém também pode tornar-se selvagem, esquecer como falar e como se comportar de maneira sociável, ou até mesmo perder a forma e desaparecer.

CHUCHUNA (SIBÉRIA)

No folclore russo, o Chuchuna é uma entidade que vive na Sibéria. De acordo com os relatos nativos das tribos nômades Yakut e Tungus, é um gigante, parecido com o Pé-grande, que usa peles como roupa e tem um pedaço de pele branca nos antebraços. Diz-se que ocasionalmente consome carne humana, ao contrário de seus primos próximos, os Almastis. Algumas testemunhas relataram ter visto uma cauda no cadáver da criatura. Chuchunas são descritos com cerca de dois metros de altura, e sua fala é arrastada. Acredita-se que eles roubavam veados e comida, atacavam pessoas à noite, atirando nelas com arcos ou lançando pedras. Os dados do folclore da segunda metade do século XX serviram de base para a construção de uma hipótese científica sobre a existência de um hominoide relíquia no norte da Ásia, mas não há comprovação de nada.

Deve-se notar também que o arquétipo dos selvagens malévolos que vivem secretamente na tundra, nas montanhas ou nas florestas é muito comum nas mitologias dos povos do mundo. Por exemplo, no folclore dos esquimós da Groenlândia, existem personagens semelhantes ao Chuchuna, chamados Tuniite. Talvez essa seja uma memória mitificada de culturas e tribos anteriores que habitavam a área.

COBRA-LUBAK

Uma Cobra-Lubak (*zmey-lyubak*, também conhecida como *letavits* ou serpente ígnea, ou por muitos outros nomes) é um espírito de cobra antropomórfico que seduz mulheres, muito semelhante a um íncubo. A tradução literal da palavra é "Serpente Amante".

Em particular, os relatos de sua existência surgem pela primeira vez na mitologia, lenda e folclore da Rússia, Sérvia e Ucrânia.

Normalmente, ele tenta cortejar uma mulher solitária, abandonada ou em luto. Às vezes, o namoro termina com a morte da mulher. Se uma mulher não quiser casar-se assim, ela só precisa contar a outras pessoas sobre o *zmey*, e ele a deixará em paz.

Se uma criança nasce de um relacionamento com os *zmey*, acredita-se que essa criança venha com cascos em vez de pés, olhos sem pálpebras e corpo frio, além de viver uma vida curta e infeliz. Entretanto, às vezes a criança se torna um herói com poderes mágicos e aventuras: por exemplo, Vol'ga Svyatoslavich (um herói épico russo, um *bogatyr*, do ciclo de Bylina da República de Novgorod) é filho da princesa Marfa e de um *zmey*.

A serpente é geralmente representada nos contos populares eslavos entrando na casa de uma pessoa pela chaminé, e muitas vezes traz presentes de ouro. Mas não se engane: esses presentes se transformam em esterco de cavalo ao nascer do sol. Além disso, as vítimas da serpente costumam ter alucinações, incluindo visões de tortura sobrenatural. A serpente de fogo não tem medula espinhal e não pode pronunciar corretamente certas palavras. Por exemplo, em vez de "Jesus Cristo", a serpente pode dizer "Sus Cristo", ou "Chudoroditsa" no lugar de "Bogoroditsa" (mãe de Deus), a mulher que deu à luz um milagre.

A imagem associada a essa criatura é de serpentes voadoras que cospem fogo e que podem ser vistas voando pelo ar na forma de longas e largas faíscas vermelhas. A imagem de um dragão voador era associada a sinais de insanidade temporária, depressão ou alucinações — principalmente em mulheres que perderam seu verdadeiro amor.

Há também uma *zmey* feminina — uma *zmeitsa* ou *zmeyekinya*, que seduz os homens.

DREKAVAC (SUDESTE EUROPEU)

O Drekavac é uma criatura bastante horrível do folclore do sudeste europeu, o que já é evidente pelo fato de seu nome significar "aquele que grita". Ele também é conhecido como *drek* ou *drekalo*.

No leste da Sérvia, essas criaturas são descritas como demônios florestais com copo semi-humano e longas garras nos membros da frente, mas sua descrição pode variar bastante dependendo da região. Em alguns contos folclóricos, ele é representado na forma de um homem morto-vivo que saiu do túmulo durante a noite para assombrar pessoas. No entanto, em outros, ele é descrito como uma criança que morreu sem ser batizada e que se levanta do túmulo no meio da noite para assombrar seus pais. Mais uma vez, o tema de criança morta antes do batismo se vê presente na mitologia e folclore eslavo.

Acreditava-se popularmente que esse monstrinho pudesse ser visto somente à noite, e especialmente durante os doze dias do Natal, que os sérvios chamavam de "dias não batizados". Mas não era somente nesse momento que as pessoas deveriam ter cuidado: o Drekavac poderia aparecer também no início da primavera, quando se acreditava que outros demônios ou criaturas míticas ficavam mais ativas e interagiam com o mundo humano.

Fazendo jus ao seu nome, o Drekavac teria um uivo que parece uma mistura de gritos e choro, e usaria esse barulho para assustar as pessoas e atacar quem passasse perto de cemitérios. Segundo as lendas, ao assumir a forma de uma criança, ele estava predizendo a morte de alguém, enquanto, na sua forma animal, predizia a doença do gado.

Para atacar as pessoas, ele pularia em suas costas e as faria andar a noite inteira até o amanhecer, morrendo, eventualmente, de exaustão. Se não obedecessem à sua vontade, Drekavac gritaria e arranharia os rostos de suas vítimas.

Eles não podem ser destruídos, pois não foram batizados, portanto não pertencem nem ao céu nem ao inferno, mas você pode se proteger tendo uma grande fonte de luz ou um cachorro ao seu lado.

Essa lenda é criada principalmente para assustar as crianças e impedi-las de ficar sozinhas longe de casa, aproximando-se da figura do Bicho-papão no folclore brasileiro. Mesmo assim, muitas pessoas acreditam nele. Uma breve busca na internet e você verá relatos de pessoas que dizem tê-lo visto.

É a criatura mais assustadora que você pode encontrar. Quando o mundo está quieto, o grito é mais bem ouvido. A única intenção é assustá-lo até que você tema todas as sombras.

DZIWOŻONA (POLÔNIA)

Dziwożona (ou Mamuna) é um demônio feminino do pântano na mitologia eslava, conhecido por ser malicioso e perigoso. As pessoas mais suscetíveis a se tornarem uma delas após a morte são as parteiras, velhas empregadas domésticas, mães solteiras, mulheres grávidas que morrem antes do parto e crianças abandonadas nascidas fora do casamento.

Dziwożona são mulheres velhas, de aparência aterrorizante. O que elas faziam nas antigas lendas eslavas? Trocavam crianças reais por um *changeling*, uma substituta que não era humana de fato. Essas criaturas demoníacas polonesas eram muito inteligentes: observavam uma jovem mãe por um longo tempo para agir no momento certo. Elas também usavam truques para atraí-las o mais longe possível dos filhos e assim faziam a troca, vingando-se por terem perdido o seu próprio durante a gravidez ou o parto.

Um *changeling* pode ser reconhecido por sua aparência incomum — corpo desproporcional, um abdômen enorme, a cabeça muito pequena ou muito grande, costas corcundas, braços e pernas finos, corpo peludo e garras compridas. Dizia-se que seu comportamento também era marcado por uma grande maldade em relação às pessoas ao seu redor, relutância em dormir e gula excepcional. Poucos chegavam à idade adulta, pois acabavam morrendo na infância, porém aqueles que chegavam, ficavam muito estranhos, tagarelas e desconfiavam das pessoas.

Dziwożona - Arte: Jan Styfi

Para proteger uma criança de ser sequestrada por Dziwożona, a mãe devia amarrar uma fita vermelha em volta da mão do bebê, e esse costume ainda é preservado em algumas regiões da Polônia, embora sem o significado original. Deveria também colocar um chapéu vermelho na cabeça e proteger seu rosto da luz da lua. Sob nenhuma circunstância ela deve lavar as fraldas após o pôr do sol. Também era melhor não se aproximar do lugar onde elas moravam, ou seja, todos os pântanos e cavidades nas encostas dos rios.

No entanto, mesmo que Dziwożona conseguisse levar um bebê, ainda havia uma maneira de recuperá-lo. A mãe deveria levar o *changeling* a um cavalo, chicoteá-lo com um galho de bétula e derramar água sobre uma casca de ovo, gritando "Pegue o seu, devolva o meu!". Geralmente, Dziwożona sentia pena de sua prole e o buscava, devolvendo o que ela havia roubado.

HALA

Enquanto alguns seres mitológicos são comuns a todos os grupos étnicos eslavos, Hala parece ser exclusiva do folclore búlgaro, macedônio e sérvio. Mesmo assim, outros grupos eslavos também tinham algum demônio a quem atribuíam o mau tempo. Entre os eslavos do leste, essa figura era Baba Yaga.

A Hala é um demônio cujo principal objetivo é levar nuvens de trovão produtoras de granizo na direção de campos, vinhedos ou pomares para destruir as colheitas. Também se acredita que Hala devora crianças. Os eclipses solares e lunares eram frequentemente atribuídos ao apetite voraz dela. Encontrá-la colocava em risco não apenas a saúde mental e física de um indivíduo, mas muitas vezes a vida deste. No entanto, se alguém abordar uma Hala com respeito e confiança, pode até conseguir favores dela! Um bom relacionamento com uma Hala pode significar riquezas e ajuda em tempos difíceis.

Sua forma era muitas vezes a de um monstro parecido com uma cobra ou um dragão. Ela residia em cavernas, nascentes, árvores gigantes ou nuvens.

Na tradição búlgara ocidental, a Hala em si era considerada o redemoinho, que guardava nuvens e continha a chuva, mas também era considerada um tipo de dragão.

KIKIMORA

Alguns espíritos são perigosos até mesmo para pessoas que não necessariamente acreditam neles. Uma das criaturas mais assustadoras em mitologias do mundo é o espírito da cultura eslava conhecido como Kikimora.

Kikimora pode ser um ente físico, um pesadelo ou um espírito assustador que perturba as pessoas durante a noite. É, de qualquer forma, uma criatura que se instala em uma casa e não quer sair — e passa a tornar a vida das pessoas que ali vivem insuportável.

Como um Kikimora entra na sua casa? Pelo buraco da fechadura. É por esta razão que muitas mulheres eslavas mantinham suas chaves nos buracos das fechaduras ou as enchiam com pequenos pedaços de pano ou papéis para impedir a entrada de um Kikimora.

Kikimora - Arte: Ivan Bilibin

Essas criaturas, como muitos seres domésticos, preferem viver em recantos e fendas. Diz-se que os Kikimora preferem ficar atrás da lareira, perto dos fogões, sob o assoalho, nos armários e no sótão. Se ele está insatisfeito ou quer que você perceba sua presença, dizem que faz ruídos semelhantes aos de um rato. Se lhe oferecerem comida, alguns acreditam que ele sairá de casa e deixará de incomodar os moradores.

Curiosamente, os Kikimoras costumam ser associados a problemas noturnos, especificamente paralisia do sono, pesadelos terríveis ou acidentes que acontecem à noite (gado sendo morto, comida estragada etc.). São bem conhecidos no território da Rússia, mas sua história também se espalhou para muitos outros países eslavos, e sua aparição é geralmente associada a uma má notícia.

E como são fisicamente? Assemelham-se fortemente a galinhas humanoides, com boca e nariz em bico, dedos com garras e pés de galinha, e normalmente trajam um vestido caseiro com um lenço amarrado em volta do cabelo desgrenhado.

Ninguém deve olhar um Kikimora nos olhos. As crianças eram ensinadas a olhar para seus travesseiros ou janelas se achassem que ele estava em seus quartos e, se o ouvissem, não deveriam olhar para as portas, caixas, armários etc., porque aqueles são lugares onde se diz que eles gostam de se esconder.

O significado do seu nome pode vir da língua finlandesa, na qual *kikke mörkö* significa "espantalho". Kikimora ainda é conhecido como Mora na Polônia. A mesma palavra em croata significa a mesma coisa — um pesadelo. Na Sérvia, Kikimora é chamado de Mora ou Noćnink.

Na maioria das lendas, existe também uma forma de Mara, que está relacionada a uma forma mais atraente de Kikimora. Às vezes, ela aparece como uma jovem incrivelmente bela. Acredita-se que ela visite os homens em seus sonhos para torturá-los com seus desejos e destruir suas relações com as mulheres reais. Ela também entraria nos sonhos das mulheres, mas, nestes, mostra-lhes imagens para torná-las ciumentas e desconfiadas de que seus maridos as estejam traindo. Ainda hoje, quando algumas pessoas nos países eslavos acordam devido a um pesadelo, dizem palavrões à Mora que provavelmente causou seus sonhos desagradáveis.

LIKHO

Likho (pronuncia-se "lirro") é uma criatura encontrada na mitologia eslava, e acredita-se que seja a personificação do mal e da desgraça. Existem várias histórias sobre essa criatura aterrorizante, que geralmente terminam com algo ruim acontecendo àqueles que têm o azar de encontrá-la. Em alguns desses contos, há lições valiosas que podem ser aprendidas por aqueles que as ouvem.

Essa criatura é frequentemente descrita de duas formas diferentes: tanto como uma mulher idosa vestida inteiramente de preto quanto como uma criatura parecida com um *goblin*, e alguns até descrevem Likho como um gigante mais alto que as árvores. A característica mais distinta dessa criatura é ela ter somente um olho, como os ciclopes na mitologia grega.

Embora Likho não seja um personagem importante na mitologia eslava, como a bruxa Baba Yaga, é a personagem principal em vários contos de fadas diferentes. Em uma dessas histórias, por exemplo, Likho pula nas costas de uma pessoa que, independentemente de seus esforços, não consegue livrar-se dela. Desesperada, a pessoa entra em algum rio ou lago com a intenção de tentar matar a criatura, mas acaba, em vez disso, morrendo enquanto Likho segue em busca da próxima vítima.

Likho - Criatura com um só olho que vive na floresta

Ao contrário da Russalka, entretanto, Likho não causa diretamente o afogamento de sua vítima, mas a própria pessoa se afoga ao tentar se livrar do demônio. Essa, porém, não é a única forma que essa criatura usa para matar uma vítima! Em um conto, dois homens bons, um alfaiate e um ferreiro, saem em busca do mal, que nenhum deles conheceu antes. Uma noite, os dois homens chegam à cabana de uma velha bruxa e buscam abrigo com ela. Sem saber, estavam diante de Likho! A bruxa então anuncia aos homens que os comeria e, tendo preparado seu fogão, mata o alfaiate, cozinha-o e devora-o. Likho então se prepara para comer o ferreiro, que revela sua profissão e se oferece para forjar para a criatura tudo que ela quiser. Likho pensa um pouco e pede ao ferreiro que forje um novo olho para ela, pois ela só tem um. O ferreiro concorda, com a condição de que Likho se deixe amarrar, alegando que o novo olho precisava ser martelado no lugar certo e qualquer movimento repentino poderia resultar em um acidente. Assim que Likho foi amarrada com segurança a uma cadeira, o ferreiro pegou um atiçador em brasa e perfurou o único olho dela.

Nos tempos antigos, acreditava-se que Likho era uma serva da Morte. Durante os tempos pré-cristãos, as aldeias realizavam um certo ritual em épocas de epidemia. Um ídolo feminino com um olho era construído e então usado para acender um fogo sacrificial. Esperava-se que, ao destruir o símbolo da serva da Morte no incêndio, a epidemia também fosse dissipada. Algum tempo depois, Likho foi considerada a personificação da má sorte e do mal.

Vários provérbios utilizam esse termo, como o russo "Не буди лихо, пока оно тихо", que significa "Não mexa com quem está quieto", e o polonês "Cicho! Licho nie śpi", traduzido como "Silêncio! O mal não dorme", e "Licho wie", literalmente "Apenas Likho sabe", que antigamente costumava significar que determinada informação não é conhecida por ninguém.

MAVKA (UCRÂNIA)

Segundo as antigas lendas ucranianas, *mavkas* são almas de crianças mortas que vivem nas florestas e campos.

A palavra *mavka* (ou *navka*) provavelmente deriva de uma raiz eslava comum *nav*, que significa "morte" ou "corpo morto". Alguns pesquisadores sugerem que a palavra pode vir da raiz indo-europeia *nau*, que significa "cadáver", mas, como a maior parte das etimologias de nomes folclóricos e mitológicos, é difícil definir uma origem ao certo.

Mavkas são crianças pequenas que morreram sem ser batizadas, seja porque foram assassinadas pela própria mãe, seja por terem sido mortas na semana das *rusalki*. Acreditava-se que, após matá-las, as *rusalki* levavam seus corpos.

E como são as *mavkas*? Elas têm longos cabelos loiros e podem ser jovens ou mulheres altas e bonitas, sempre levando coroas de flores nos cabelos. Ainda que em menor quantidade, existem também *mavkas* meninos, que geralmente têm cabelos curtos, ruivos e encaracolados.

Mas elas parecem jovens apenas se as olhamos de frente; por trás, vê-se todo o seu interior por não terem pele. *Mavkas* também não têm suas imagens refletidas na água e não projetam sombras, pois são um espírito.

Essas criaturas vivem em florestas e também em cavernas. Na primavera, assim que a neve começa a derreter, as *mavkas* plantam flores perto de cavernas nas montanhas e, quando tudo floresce, penduram-se nos galhos colhendo flores, fazendo grinaldas e dançando. Inclusive, acredita-se que a grama cresça até melhor no lugar onde elas cantam. Elas costumam fazer amizade com *rusalki*; inclusive, em algumas regiões da Ucrânia, as *mavkas* eram consideradas uma espécie de *rusalki* (às vezes eram chamadas "*rusalki* da floresta").

Mavkas são mais uma figura do tema comum de almas afogadoras do folclore eslavo: elas se vingam das pessoas pela sua morte precoce desorientando quem anda nos pântanos, onde elas provavelmente o afogarão. Diz-se que elas atraem jovens e os matam, assim como as *rusalki*. Às vezes, as *mavkas* pedem aos viajantes que lhes deem um pente. Se conseguirem o que desejam, penteiam os cabelos e vão embora, caso contrário podem matar quem não satisfez sua vontade. Conta-se que elas aparecem na terra na primavera e, durante a semana verde (os últimos três dias da semana anterior à Trindade e os três primeiros dias da semana da Trindade), as *mavkas* dançam com frenesi perto de lagos e rios. Na Páscoa de *Mavkas*, elas e as *rusalki* vão para prados e florestas, transformam-se em pessoas e até comem comida humana comum. Na semana das sereias, contudo, eles correm pelos campos e gritam: "Minha mãe me deu à luz e depois me enterrou sem ser batizada".

Se alguém batiza uma *mavka*, ela se transforma em anjo e agradece a seu benfeitor vários favores, mas isso só pode acontecer no prazo de sete anos desde a morte da criança. Se em sete anos o batismo não acontecer, *mavka* nunca se tornará um anjo e permanecerá como espírito para sempre.

Os meios eficazes de proteção contra as *mavkas*, de acordo com as crenças dos ucranianos antigos, eram alho, cebola, rábano e amor. Na mitologia ucraniana, havia também um personagem que caçava *mavkas* e, assim, salvava pessoas. Era Chuhayster — um duende engraçado, bem-humorado e alegre, com grandes olhos azuis.

Mavkas seriam conhecedoras e dotadas de habilidades mágicas. As pessoas as tratavam com respeito, especialmente durante o feriado Pentecostes, trazendo-lhe pão, na esperança de que as *mavkas* pudessem contribuir com a colheita e espantar o mal.

É um paradoxo eterno da Ucrânia: por um lado, as *mavkas* eram consideradas más e as pessoas tinham medo delas, e, por outro lado, elas as adoravam e as honravam, muito semelhantemente à figura de Baba Yaga.

Acredita-se que a primeira *mavka* foi Kostroma. Segundo a lenda, os irmãos Kostroma e Kupalo uma vez correram para um campo para ouvir canções do pássaro Sirin, mas Sirin roubou Kupalo e o levou para Nav. Muitos anos depois, um dia, Kostroma percorreu a margem do rio e fez uma coroa de flores. Ela tinha certeza de que poderia usar sua coroa sem que o vento a soprasse de sua cabeça. O vento ficou mais forte e, por fim, soprou a coroa da cabeça de Kostroma na água, onde mais tarde foi recolhida por Kupalo, que estava perto de seu barco. De acordo com os costumes eslavos, quem pega a coroa deve necessariamente se casar com a garota que a fez. Kupalo e Kostroma se apaixonaram e pouco depois se casaram, sem saberem que eram irmão e irmã. Após o casamento, os deuses disseram a verdade. Como eles não podiam ficar juntos, Kupalo e Kostroma se suicidaram: Kupalo pulou no fogo e morreu, enquanto Kostroma correu para a floresta, jogou-se no lago da floresta e se afogou. Mas, diferentemente do irmão, ela não morreu; tornou-se uma *mavka*. Caminhando ao redor do lago, ela seduziu os homens que conheceu em seu caminho e os arrastou para o abismo da água. Ela os confundia com Kupalo e descobria que o jovem pego não era seu amor apenas quando ele já se havia afogado.

Vendo isso, os deuses perceberam que sua vingança havia sido muito cruel e se arrependeram. Dar a Kupala e Kostroma um corpo humano novamente era impossível, então os transformaram na flor com pétalas amarelas e azuis, nas quais a cor amarelo-fogo era a cor de Kupalo, e a azul, como as águas de um lago da floresta, era a cor de Kostroma. Os eslavos deram o nome de Kupalo-da-Mavka à flor. Mais tarde, no tempo da cristianização da Rússia de Kiev, a flor foi renomeada para Ivan-da-Marya.

MILOSNICE OU LIKHORADKA

Os eslavos tinham certos seres míticos, as *babicas* por exemplo, que só podiam ferir um grupo específico de pessoas em um determinado momento, no caso bebês quarenta dias após o parto. No entanto, havia seres míticos que podiam trazer doenças a qualquer pessoa a qualquer momento, as *milosnice*, ou *likhoradka* , como eram conhecidas em russo. *Milosnice* poderiam vir sozinhas ou em grupo e trazer doenças para uma área. Dependendo de quantas *milosnice* participassem do ataque, a intensidade da doença e o número de pessoas que a contraíam variava muito. Da mesma forma que outros demônios de doenças, nomes pessoais de *milosnice* nunca eram mencionados, pois as pessoas acreditavam que mencionar o nome de um deus ou demônio era o mesmo que invocá-los. Logicamente, ninguém tinha a intenção de invocar deliberadamente um demônio da doença, então os nomes que nunca foram mencionados em algum momento caíram no esquecimento.

Likhoradka - Ilustração do livro *History of Russian Literature*, editado por E.V. Anichkova, A.K. Borozdin e A.N. Ovsyaniko-Kulikovsky

Milosnice eram imaginadas como mulheres vestidas de preto, e as pessoas tinham de dar presentes para evitar serem atormentadas por elas. A doença que elas traziam não era sempre a mesma; poderia ser varíola, gripe, peste, qualquer coisa. Cada uma delas era portadora de uma doença e poderia causar sua propagação, e, se unissem forças, poderiam causar uma epidemia.

Havia um ritual com o objetivo de afastar as *milosnice*. Se as pessoas suspeitassem que um surto de doença fosse estourar, ou se já tivesse começado uma epidemia, faziam fogueiras nas encruzilhadas e na estrada que leva à aldeia. Eles acreditavam que, ao fazer isso, poderiam evitar que a doença entrasse na comunidade. Comida e bebida eram distribuídas em certos lugares da aldeia, e algum tipo de festa incluindo canções e danças era organizado. Esses rituais eram chamados de Tias ou Baba Kalja e aconteciam quando as mortes frequentes de pessoas nas aldeias vizinhas faziam os moradores temerem que a doença se espalhasse também em sua aldeia.

PŁANETNICY

Płanetnicy são os "pastores das nuvens", descritos em vários contos folclóricos poloneses. Acredita-se que sejam espíritos ancestrais com grande poder sobre vários fenômenos atmosféricos, capazes de controlar as nuvens movendo-as com longas cordas. Dessa forma, eles podem trazer, por exemplo, chuvas nutritivas ou tempestades de gelo para os campos de cultivo, ou manter um bom clima para as aldeias.

Eles pertencem a um grupo de espíritos neutros. *Płanetnicy* eram vistos como amigáveis com as pessoas, mas por outro lado poderiam facilmente ficar furiosos se enfrentassem grosseria ou depravação. Nesse caso, eles poderiam agir maliciosamente e trazer uma tempestade sobre uma aldeia ou um campo de cultivo — e poderiam potencialmente os destruir por capricho.

Os poloneses demonstravam grande respeito por esses espíritos e sempre tentavam obter seus favores. Eles praticavam várias formas de ações mágicas. Por exemplo, era comum jogar um pouco de farinha no ar como uma oferenda para o *płanetnik*, queimar composições especiais de ervas para eles e, em seguida, tocar os sinos da igreja local para "marcar" uma área onde as nuvens deveriam estar dispersas.

Płanetnicy às vezes visitavam uma casa, sempre com roupas molhadas, mesmo se o tempo estivesse quente e seco. Em tais situações era necessário cumprimentá-los como se cumprimentaria um membro querido da família ou um amigo mais próximo — alimentá-los, proporcionar uma boa companhia e preparar um lugar para descansar. No entanto, é proibido perguntar-lhes qualquer coisa sobre sua identidade (talvez a menos que eles comecem a falar sobre isso primeiro). Quando aparecem na terra, os płanetnicy geralmente assumem a forma de homens altos e velhos, vestindo roupas simples (geralmente trajes tradicionais de linho branco) e chapéus de palha com abas largas que protegem os olhos da luz solar.

As lendas polonesas dizem que existem diferentes categorias de płanetnicy. Existem grupos responsáveis por diferentes tipos de nuvens, criando chuva, neve, granizo, tempestade e assim por diante. Alguns deles criam relâmpagos e os preparam para um uso posterior. Alguns fazem um trabalho básico, como moldar as nuvens do nevoeiro que "tiram" dos mares, lagos, rios e pântanos. Os płanetnicy mais fortes empurram nuvens de tempestade mais pesadas. Às vezes, um grupo deles é escolhido para escoltar um dragão maligno capturado sobre as nuvens para um local de execução — então, fortes tempestades de granizo aparecem sob as nuvens como um efeito colateral.

Às vezes, nasceria um "płanetnik terreno", um ser humano que possui uma habilidade incomum de prever ou mesmo controlar o clima. O povo polonês acreditava que tais habilidades poderiam ser adquiridas fazendo um pacto com os espíritos dos płanetnicy. Tal ser humano — o "płanetnik terreno" (em polonês: *ziemski płanetnik*) — é fácil de se reconhecer por sua calma, devoção, sabedoria e bondade para com os outros. Um dos últimos casos bem documentados de um homem considerado um "płanetnik terreno" vem de uma aldeia de Przysietnica no sul da Polônia, onde a população local reconheceu as habilidades incomuns do Sr. Wojciech Rachwał, que faleceu em 1973. Velhas histórias sobre o Sr. Rachwał dizem que ele era capaz de impedir a entrada de tempestades na aldeia fazendo sinais de uma cruz na direção do céu ou segurando uma *gromnica* (vela do trovão), além de sempre ter sido capaz de prever o tempo. Em seu túmulo está escrito: "o último płanetnik".

POŁUDNITSA, A DAMA DO MEIO-DIA

Poludnitsa (ou Dama do Meio-dia), na mitologia eslava, é um espírito feminino do campo, geralmente vista como uma mulher alta ou como uma garota vestida de branco. A Poludnitsa costuma aparecer no campo ao meio-dia, quando o sol está a pino e alguns dos trabalhadores estão descansando de seus trabalhos. Ela ataca as pessoas causando insolações e dores no pescoço, às vezes até levando-os à loucura. Qualquer humano que ousasse perturbar sua visita tradicional estaria arriscando sua saúde e sua vida.

Poludnitsa aparece mais frequentemente durante os dias de verão como uma jovem carregando uma foice, mas também pode assumir a forma de nuvens de poeira rodopiantes. Ela conversará com quem encontrar e, se alguém não responder a uma pergunta ou tentar mudar de assunto, ela cortará sua cabeça ou a pessoa ficará doente. Ela pode aparecer como uma velha bruxa, uma bela mulher ou uma garota de doze anos, mas, de qualquer forma, era uma lenda útil para afastar as crianças de colheitas valiosas.

A Poludnitsa está relacionada ao Polevoy, o espírito do campo masculino, que raramente é visto e apenas ao meio-dia nos campos. Alguns o descrevem como um homem negro como a terra, com grama em vez de cabelos crescendo em sua cabeça. Outros dizem que ele se veste de branco.

Em algumas áreas, as oferendas são feitas ao Polevoy à noite para garantir a fertilidade.

Poludnitsa - Arte: Sergey Demidov

O tema da Dama do Meio-dia aparece em um poema sinfônico escrito em 1896 por Antonín Dvořák. Uma mãe avisa ao filho que, se ele não se comportar, ela chamará a

Dama do Meio-dia (no poema chamada de Bruxa do Meio-dia) para levá-lo embora. Ele não se comporta, e a Dama chega pontualmente ao meio-dia na casa deles. A bruxa, descrita como uma criatura horrível, exige a criança. A mãe, apavorada, agarra o filho, e a Dama começa a persegui-los. Por fim, a mãe desmaia agarrada ao filho. Mais tarde naquele dia, o pai chega a casa e encontra sua esposa desmaiada com o corpo de seu filho nos braços: a mãe acidentalmente o sufocara enquanto o protegia da Dama. A história termina com o lamento do pai sobre o terrível acontecimento.

RUSALKA

Na mitologia eslava, *rusalki* (plural de *rusalka*) são almas de mulheres que sofreram mortes tristes e violentas ou de crianças que morreram sem ser batizadas e agora habitam lagos e rios, atraindo pessoas e conduzindo-as à morte.

As razões da morte de uma *rusalka* podem variar: ela pode ter sido vítima de assassinato ou pode ter cometido suicídio, mas em geral elas morrem afogadas. Geralmente, trata-se de mulheres traídas pela pessoa que amavam e, devido à tristeza, decidiram colocar fim em suas vidas. Algumas *rusalki* são também jovens que se mataram afogadas porque acabaram engravidando fora do casamento, e outros mitos dizem ainda que os bebês que morrem antes de ser batizados renascem como espíritos da água.

Eslavos de diferentes regiões atribuíram personalidades diferentes a esses espíritos dos rios. Ao redor do rio Danúbio, as *rusalki* são garotas bonitas e encantadoras, sempre vestidas com leves mantos de névoa e que cantam canções doces e encantadoras para os que passam. Já as *rusalki* do norte da Rússia seriam feias, despenteadas, perversas e estariam sempre ansiosas para emboscar seres humanos. Todas as *rusalki* gostam de atrair homens — a diferença é que as do sul os seduz para encantá-los, enquanto as *rusalki* do norte têm como único objetivo torturá-los.

Rusalki - Arte: Ivan Kramskoi

Assim como as sereias, acredita-se que as *rusalki* sejam predadoras. Elas atraem em particular os jovens, seja com sua voz ou com sua aparência física. Uma vez seduzidos, elas os prendem e os puxam para a água, afogando-os, mas, se for uma pessoa de sorte, elas poderão apenas agarrá-lo e fazer-lhe cócegas. Nas histórias folclóricas de heróis, a *rusalka* geralmente representa um "teste" para o herói, no qual, se ele falhar, será lançado em uma cova aquosa.

No entanto, algumas também têm certa natureza protetora e alma gentil. Por exemplo, durante tempestades severas, chuvas de granizo e outras intempéries intensas relacionadas à água, se as *rusalki* forem adoradas corretamente, protegerão as pessoas.

A DIFERENÇA ENTRE *RUSALKI* E SEREIAS

Primeiramente, *rusalki* são geralmente retratadas com pés e não com caudas de sereia. É claro que o famoso filme de Walt Disney *A Pequena Sereia* ganhou a versão *Rusalochka* em russo, mas não é exatamente a mesma coisa! As *rusalki* vivem dentro de rios ou lagos (não em mares como sereias), mas saem muitas vezes por ano, especialmente no verão, para dançar e passear pelos bosques próximos.

Elas dormem o dia inteiro e só emergem à noite, que é tida como o verdadeiro reino dos espíritos, demônios e forças "pouco claras". As lendas dizem que é possível vê-las penteando os cabelos ou fazendo guirlandas nas beiras dos lagos. *Rusalki* são muito pálidas, com aparência às vezes até mesmo esverdeada, e seus cabelos são longos e costumam estar sempre soltos.

Quando as *rusalki* não estão ocupadas dançando ou penteando os cabelos, seu passatempo favorito é atrair homens que por acaso estejam passando por perto apenas para afogá-los. Suas doces vozes os chamam, convidando-os a se aproximar, e os infelizes não terão outra opção senão obedecer, sendo levados à morte por afogamento.

E essa é provavelmente a razão de sua natureza mortal: vingança pelos erros que sofreram. Em outras histórias, uma *rusalka* pode se apaixonar por um homem do mundo dos vivos, mas eles sempre terminam em tragédia. Nada de bom pode advir dessa história de amor, e não há um final feliz para a alma maldita da pobre *rusalka*: ela assombrará o rio para sempre com sua tristeza e fúria vingativa. Até os deuses eslavos todo-poderosos Perun, Svarog, Veles e muitos outros não podiam ficar indiferentes à beleza de uma *rusalka*.

Além de serem criaturas ameaçadoras, elas também têm o poder de causar tempestades e granizo, especialmente se os habitantes locais não lhes dão o devido respeito.

Entre seus poderes também está a mudança de forma. Algumas fontes afirmam que elas são capazes apenas de se transformar em peixes, sapos e animais semelhantes intimamente ligados à água.

De acordo com alguns folcloristas, elas também podem causar a perda de gado e cavalos, portanto tenha cuidado e não desrespeite as *rusalki*!

Talvez a sua triste história seja o que nos faz amar e apoiar esse infeliz fantasma. Mas aqui está o meu conselho: se você vir uma mulher tomando banho em um rio ao luar e chamando por você (principalmente se você estiver no leste europeu), *não pense duas vezes! Não responda!* Saia correndo o mais rápido possível!

A SEMANA DA *RUSALKA*

A conexão de *rusalki* com a fertilidade é particularmente forte. Em algumas áreas, as pessoas ainda celebram a chamada Semana da *Rusalka*, também conhecida como Semana Verde. Trata-se de um antigo festival de fertilidade eslavo celebrado no início de junho e estreitamente ligado aos ritos agrícolas mortos e à primavera. Nas aldeias russas, as sete semanas após a Páscoa eram um período de festa, e a Semana Verde ocorria durante a sétima semana A quinta-feira daquela semana foi chamada Semik e incluía serviços funerários para os mortos imundos (aqueles que morreram antes do tempo).

Estando associadas à fertilidade, portanto, *rusalki* poderiam ser invocadas durante a Semana Verde, na tentativa de trazer umidade e vigor aos campos. Consecutivamente, acreditava-se que durante a Semana Verde as *rusalki* eram mais ativas, trazendo uma ameaça maior para os moradores. Uma precaução tomada pelas pessoas durante essa semana era evitar nadar, porque se pensava que as *rusalki* viviam na água e poderiam afogar os que passavam.

Algumas jovens ainda oferecem pequenos presentes para elas, e muitos gostam de contar histórias antigas sobre *rusalki*, que ainda alertam os passageiros descuidados sobre os perigos da água e os jovens a permanecerem fiéis às suas namoradas (terrenas).

RUSALKA, DE DVORAK

É uma das óperas mais famosas do mundo. A ária *Canção para a lua* em particular é cantada pela própria Rusalka, no primeiro ato da ópera. Rusalka é filha de um duende aquático que deseja ser humana depois de se apaixonar por um príncipe que frequenta o lago em que ela vive. Rusalka canta essa música pedindo à lua que revele seu amor ao príncipe:

Měsíčku na nebi hlubokém
Měsíčku na nebi hlubokém,
Světlo tvé daleko vidím.
Po světe bloudíš širokém,
Díváš se v příbytky lidí.
Po světě bloudíš širokém,
Díváš se v příbytky lidí.
Měsíčku, postůj chvíli,
řekni mi,
Kde je můj milý.
Měsíčku, postůj chvíli,
řekni mi, řekni
Kde je můj milý.
Rekni mu, stříbrný měsíčku,
Mé že jej objímá rámě,
Aby si alespoň chviličku
Vzpomenul ve snění na mne,
Aby si alespoň chviličku

Vzpomenul ve snění na mne.
Zasviť mu do daleka,
Zasviť mu,
řekni mu, řekni
Kdo tu na něj čeká.
Zasviť mu do daleka,
Zasviť mu,
řekni mu, řekni
Kdo tu na něj čeká.
O mně— li, duše lidská sní,
Ať se tou vzpomínkou vzbudí.
Měsíčku nezhasni! Nezhasni!
Měsíčku nezhasni!

Canção para a lua

Lua, alta e profunda no céu
Sua luz pode ser vista de longe.
Você viaja pelo mundo inteiro,
e vê as pessoas em suas casas.
Lua, fique parada um pouco
e diga-me onde está o meu amor.
Diga a ele, lua prateada,
que eu o estou abraçando.
Por ao menos um momento
deixe-o lembrar-se de sonhar comigo.
Ilumine-o para longe,
e diga-lhe, diga-lhe quem está esperando por ele!

Se sua alma humana está, de fato, sonhando comigo, então que a memória o desperte!
Lua, não desapareça, não desapareça!

Rusalka - Arte: Anna Vinogradova

SAMODIVA (BALCÃS)

Um forte paralelo com as *vily* eslavas são as *samodivas*, fadas ou ninfas brincalhonas da floresta encontradas no folclore dos Balcãs, especialmente no búlgaro. *Samodivas* são comumente representadas como donzelas etéreas com cabelos loiros longos e soltos e, em alguns casos, asas. São mulheres altas e esbeltas, com pele pálida e brilhante e olhos ardentes, e estão trajadas com vestidos brancos de penas que lhes dão o poder de voar.

Segundo a lenda, elas vivem dentro de árvores e cavernas escuras, ou perto de rios, lagoas e poços. Acredita-se que essas donzelas entrem no mundo humano durante a primavera, permanecendo até o outono. Durante o inverno, elas vivem na vila mítica de Zmeikovo e criam seus filhos escondidas em cavernas. Com asas debaixo dos braços e levemente vestidas com um véu branco, voam alto, cantam e dançam *horo*.

Acredita-se que as *samodivas* sejam mulheres muito bonitas, com uma afinidade pelo fogo. Elas têm o poder de provocar secas, queimar as plantações dos fazendeiros ou fazer o gado morrer de febre alta. Dizem que, quando irritada, uma *samodiva* pode se transformar em um pássaro monstruoso, capaz de lançar fogo em seus inimigos. Isso, com o poder de suas vozes sedutoras, torna-as um pouco semelhantes às harpias na mitologia grega. Sua natureza vingativa também complementa essa noção.

Elas geralmente são hostis e perigosas para as pessoas. Homens que olham para um *samodiva* se apaixonam instantaneamente, e as mulheres tiram suas próprias vidas ao verem tanta beleza. Conta-se que, às vezes, uma *samodiva* seduziria um homem, geralmente um pastor ou invasor em sua floresta, e o levaria como amante. No entanto, ao fazer isso, ela consumiria toda a energia da vida dele. O homem então ficaria obcecado com a criatura e a perseguiria implacavelmente, incapaz de pensar em outra coisa. A *samodiva*, alimentada pela energia roubada de seu admirador, passaria a torturar o homem até que ele morresse de exaustão.

Viła - Arte: Andy Paciorek

Outro aspecto importante dos mitos que cercam as *samodivas* é sua dança. Começando à meia-noite e terminando ao amanhecer, sua dança simbolizava a energia bruta da natureza e do mundo sobrenatural. Acompanhando apenas o ritmo do vento e seu próprio canto, dizia-se que sua dança era frequentemente testemunhada por viajantes perdidos ou atrasados, alguns deles optando por se juntar a ela, seduzidos pela beleza de sua música e aparência, apenas para morrer de exaustão ao amanhecer, quando as *samodivas* finalmente desaparecem.

Bem como a *vila*, acredita-se que o poder de uma *samodiva* provenha principalmente de seus cabelos longos e aparência charmosa.

No folclore búlgaro, a estreita conexão da *samodiva* com a floresta a torna conhecedora de ervas mágicas e curas para todas as doenças. Dizem que se uma pessoa conseguisse espionar um encontro de *samodivas*, ela também poderia obter conhecimento desses remédios. Em muitas histórias, é exatamente isso que o herói é forçado a fazer para salvar um ente querido, pois uma *samodiva* nunca compartilharia seus segredos por vontade própria.

STRZYGA

Strzyga (plural: *strzygi*) é uma criatura fêmea que se alimenta de sangue humano. Seu homólogo masculino é chamado *strzygoń*. Eles são considerados um tipo de vampiros e são colocados entre os seres mais perigosos dos contos poloneses.

Suas origens estão ligadas à crença da dualidade das almas. Uma explicação comum conhecida pelos contos e recursos etnográficos era que um humano nascido com duas almas poderia tornar-se uma *strzyga* após a morte. Essas pessoas eram fáceis de reconhecer, nascidas também com duas fileiras de dentes, dois corações ou outra anomalia semelhante. Eles podem morrer, mas apenas parcialmente — uma das almas está partindo para o mundo exterior, mas a segunda está ficando presa dentro do corpo morto, perdendo muitos aspectos da humanidade. *Strzyga* ou *strzygoń* está vivendo entre as esferas da vida e da morte até que a segunda alma também vá embora.

A aparência de *strzyga* pode se assemelhar a uma pessoa normal, apenas com pele cinza ou azulada. Quanto mais eles vivem como *strzyga*, mais eles mudam. Eles costumam ser apresentados com características de pássaros: garras, olhos, penas crescendo nas costas.

Eles dormem em seus túmulos e saem à noite para caçar. Eles precisam do sangue para sobreviver — sugando-o dos corpos de suas vítimas e comendo suas entranhas. Seus principais alvos são os humanos, mas eles também poderiam viver do sangue animal por curtos períodos de tempo. Além da alimentação, os ataques costumam ser uma vingança pelos danos ou injustiças que conheceram durante sua "primeira" vida.

Strzyga

Um dos métodos mais comuns vistos como uma proteção contra seu retorno (assim como de outros tipos de vampiros) era queimar seus corpos, decapitar o cadáver ou colocar os cadáveres voltados para baixo na cova e cortar os tendões em suas pernas. À noite, é aconselhável evitar arbustos espessos e recantos escuros, devendo-se caminhar diretamente no meio das estradas, não parando nem olhando em redor, principalmente nas zonas próximas aos cemitérios.

De acordo com alguns contos, sua humanidade (ou a primeira alma) poderia ser trazida de volta se uma pessoa corajosa conseguisse dormir dentro de sua sepultura ou tumba a noite toda quando sai para caçar, até ouvir o terceiro canto de um galo no alvorecer.

TOPIELEC

Topielec (no plural *topielce*), *vodník* ou *utopiec* é um nome dado a espíritos eslavos da água. Em linhas gerais, os *topielce* são espíritos de almas humanas que morreram afogadas e passaram a morar no próprio lugar em que perderam a vida. Normalmente, sugam pessoas e animais para dentro de lagos e pântanos, mas também podem aparecer em pequenas poças de água parada. Às vezes, são eles inclusive os responsáveis por inundações de campos e prados.

Seres demoníacos desse tipo eram conhecidos em quase todo o território eslavo, especialmente em áreas onde havia muitos reservatórios de água (por exemplo, bacias hidrográficas). A água costumava gerar certo desconforto para esse povo especialmente nas estações em que chovia muito, o que caracterizava uma ameaça real para a vida humana.

Os *topielce* assumiriam a forma de pessoas altas e muito magras, com pele verde e viscosa, cabeça grande e cabelos escuros. Durante a lua nova, conta-se que vão às praias, onde costumam atrair as pessoas, brincando com elas em enigmas. A pessoa que tentar trapacear imediatamente será arrastada para a água.

Em alguns lugares, os *topielce* não apenas afogam as pessoas, mas, dependendo de sua índole, também podem ajudá-las, aconselhá-las e até fazer amizade com elas.

Vodyanoy - Arte: Ivan Bilibin

Os espíritos demoníacos da água estavam tão profundamente enraizados na cultura eslava, que encontraram ressonância no cristianismo. Os *topielce* seriam as almas de anjos lançados do céu, uma alma humana penitente ou almas de pessoas que se suicidaram. O cristianismo finalmente começou a espalhar seus próprios métodos de proteção contra eles. Dizia-se, por exemplo, que se um homem estiver se afogando, ele deve lançar um rosário em volta do pescoço, o que assustaria o espírito. As crônicas do século XIV alertam que as pessoas tenham cuidado com a água para poder ver o espírito afogador a tempo. Não teria como não ser notado facilmente, de acordo com eles, porque se tratava de um espírito feio, cruel e diferente das pessoas.

Então, se você vir uma criatura molhada, cuja cabeça tem um grande cabelo verde decorado e pernas como galhos finos, fuja rápido! Se mesmo assim você for pego, lance um rosário no seu pescoço para que consiga afastar o espírito. O afogador mais famoso é Wodzisław Zeflik, sobre quem muitas lendas foram criadas.

VILA

Na mitologia eslava, especialmente na Sérvia, existe uma forma de ninfa que fica entre um fantasma e uma fada: a *vila* — plural *vily*. As *vily* são criaturas de cabelos louros que morreram, mas permanecem presas entre este mundo e o próximo. Seres misteriosos, com aparência semelhante às fadas dos contos europeus, são geralmente mulheres perdidas que morreram não batizadas ou noivas cujas vidas terminaram antes do casamento. Assim, diferentemente das fadas, as *vily* não nascem como espíritos da natureza, mas tornam-se um com a morte, ganhando poder sobre os ventos em vez das vidas que teriam levado.

Segundo o folclore sérvio, *vily* habitam rios, lagos e lagoas, céu e nuvens, montanhas, cavernas e outros lugares escondidos. Às vezes, aparecem como cisnes, cavalos, falcões, lobos ou outros animais nos quais podem transformar-se, mas geralmente aparecem como lindas donzelas, nuas ou vestidas de branco com cabelos esvoaçantes. Geralmente, são benevolentes e ajudam os pobres e os menos favorecidos. Contudo, não é uma boa ideia irritar uma *vila*, pois aqueles que o fazem podem morrer com apenas um olhar dela.

Vily são mencionadas em vários poemas e contos, principalmente como advertências para homens desavisados. O que é mais conhecido sobre elas, no entanto, são seus disfarces e, o mais importante, seu temperamento. Para começar, essas criaturas solitárias — como mencionado anteriormente — têm principalmente controle sobre os ventos. Por causa disso, costumam parecer fantasmas ou usar mantos que voam pelo ar. Elas podem se misturar ao vento como formas incorpóreas — translúcidas e intangíveis — ou podem ter um corpo físico, tocando e sendo tocadas pelo mundo natural ao seu redor. Em todos os textos, elas são registradas como belas criaturas, invejadas por mulheres humanas e admiradas por homens mortais, e são comumente vestidas sob suas capas em folhas ou roupões, ou às vezes nuas para seduzir o sexo oposto.

Vily são conhecidas por serem bastante otimistas e enérgicas, algumas até são consideradas alegres e paqueradoras. Elas gostam de cantar, dançar, tocar e lutar. Frequentemente, fazem belas casas nas florestas (especialmente bosques nas montanhas), mas sabe-se que algumas *vily* vivem nas nuvens, em águas como lagos ou similares.

A voz de uma *vila* é tão bonita quanto o resto dela, e quem a ouve pode se esquecer até mesmo de comer ou dormir por dias. Apesar de seus encantos femininos, no entanto, as *vily* são guerreiras ferozes. Quando batalham, diz-se que a terra treme. Elas montam cavalos ou veados quando caçam com seus arcos e flechas e matam qualquer homem que as desafie ou quebre sua palavra. Círculos de fadas de capim grosso são deixados onde dançaram; estes nunca devem ser pisados, pois isso traz má sorte.

O atributo mais marcante das *vily* sérvias, no entanto, é a sua liberdade. Elas estão livres de duas das grandes inevitabilidades: a morte (para os humanos) e a vida eterna (para os deuses). As *vily* decidem quando morrerão e quando nascerão de novo — uma liberdade que nenhuma outra criatura tem.

Elas também gostam de animais e, se encontrarem algum ferido nas florestas onde residem (especialmente cervos), não hesitarão em curá-lo. E se elas encontrarem andarilhos no deserto, algumas *vily* podem alertá-los sobre desastres naturais iminentes (ou seja, avalanches), especialmente se eles tiverem um cachorro consigo. Alguns até acreditam que os cães estão entre os animais favoritos da *vila*.

Como dissemos, o lugar mais provável de encontrar uma *vila* é o mesmo que as fadas e ninfas preferem — no topo de colinas ou montes, ou no centro de um anel de árvores. Assim como as fadas, também é possível atraí-las. Elas preferem presentes como frutas frescas e bolos redondos, e apreciam itens decorativos, como fitas e flores, que usam nos cabelos. Nesse aspecto, as *vily* são primas do povo das fadas.

Le Villi - Arte: Bartolomeo Giuliano.

No entanto, o que mais diferencia *vily* de fadas é sua ferocidade. As fadas são conhecidas por serem trapaceiras brincalhonas, gostam facilmente de "pegar coisas emprestadas" e devolvê-las em lugares estranhos. Diz-se que *vily*, ocasionalmente, tornam-se seres ferozes, forçando alguém a lhes fazer companhia ou buscando vingança. Elas são conhecidas por dançar com homens humanos até a morte por diversão e prazer, e também por participar de batalhas não muito diferentes das valquírias da mitologia nórdica. Suas vozes são uma força a ser reconhecida — tão poderosa que algumas notas podem manter os homens dançando contra suas vontades ou convocar os ventos e tempestades mais perigosos para exterminar seus inimigos, fazendo com que a terra se sacuda com sua própria força. Somente às vezes elas escolhem ajudar ou curar seres humanos, geralmente durante guerras ou em momentos de compaixão, mas, se elas estão com raiva, não é incomum que matem os humanos sem pensar duas vezes.

Se um homem as desafia, intrusos indesejados bebem de seu lago ou rio, ou se sua dança ao redor de uma árvore sagrada é interrompida, sabe-se que elas atacam com arcos e flechas ou, em alguns casos, atraem o intruso para dançar, até que ele morra por exaustão.

Sabe-se também que algumas *vily* têm relacionamentos românticos ou até se casam. Nessas uniões, são esposas felizes e obedientes, mas, se a união deles resulta em um filho, sabe-se que as *vily* costumam deixá-los sob os cuidados de mulheres mortais (embora elas ainda os vigiem).

Dizem que, se um de seus cabelos for arrancado (por um humano), uma *vila* morrerá ou será forçada a voltar à sua verdadeira forma. Um humano pode ganhar o controle de uma *vila* roubando penas de suas asas. Assim que a *vila* as recupera, desaparece.

WOŁOGÓR (POLÔNIA)

Wołogór é um personagem de contos e lendas locais perto das montanhas de Wołowa, localizadas na cordilheira Karkonosze, região da Baixa Silésia, no sudoeste da Polônia.

Ele era um bom espírito, considerado um dos ajudantes do Espírito da Montanha de Karkonosze. As lendas sobre o espírito da montanha de Karkonosze são compartilhadas em histórias populares polonesas, tchecas e alemãs, nas quais ele é normalmente chamado de Liczyrzepa, Krakonoš ou Rübezahl, respectivamente.

Wołogór tem a tarefa de proteger a pequena região perto de Wołowa Góra (que, de acordo com os contos locais, recebeu esse nome por causa dele) e de relatar tudo ao Espírito da montanha.

Wołogór é retratado com uma cabeça de boi e carrega um cajado decorativo que lhe dá poderes mágicos. Ele garante que tudo funcione em ordem e que as pessoas que moram nas proximidades fiquem seguras e respeitem a natureza local. Às vezes, ele ajudava os moradores locais ou mostrava o caminho para os turistas perdidos. As histórias locais contam sobre ocasiões em que ele ajudou os habitantes a se esconderem dos bandidos que atacavam as aldeias, cobrindo a entrada de uma caverna com sua magia, ou quando ele usou seu cajado para derreter neve e fazer passagens seguras pela floresta durante invernos rigorosos.

Uma das lendas locais diz que Wołogór se apaixonou por uma garota chamada Maria e começou a seduzi-la em seus sonhos. No entanto, ela já tinha um namorado e sempre rejeitou as tentativas de Wołogór. Ele não queria desistir dela, e uma noite decidiu aparecer em sua casa pessoalmente, mas seu coração queimava tanto de amor, que ele acabou incendiando a casa da amada. Felizmente, todos sobreviveram e Wołogór entendeu seu grande erro. Ele ajudou a reconstruir a casa e decidiu não intervir em vidas humanas. Maria se casou com seu amado e teve muitos filhos.

Os anos foram passando e os arredores da montanha estavam mudando. A vila que Wołogór sempre protegia começou a declinar quando as pessoas começaram a se mudar para cidades maiores em busca de um estilo de vida melhor, e o cajado de Wołogór foi lentamente perdendo seus poderes. Enfim ele entendeu que era hora de ir; não havia mais ninguém para ele cuidar. Ele então subiu uma nascente chamada Malina, em direção às cachoeiras, e lá bateu seu cajado e seu pé direito contra uma enorme rocha, deixando as formas na pedra. Ele nunca mais foi visto nos sonhos, mas os habitantes locais acreditam que ele há de retornar quando for preciso.

ZMAJ

Na mitologia sérvia e nos países eslavos localizados mais ao sul, há uma diferenciação entre dois tipos de criaturas muito parecidas com dragões: *zmaj* (lê-se "zmai") e *aždaja* (lê-se "ajdaia"). Enquanto o *zmaj* pode ser tanto do bem quanto do mal, aliado ou inimigo do homem, e geralmente é respeitado como uma criatura de força extraordinária e um oponente digno, *aždaja* é um ser exclusivamente do mal.

Dobrynya Nikitich resgata a Princesa Zabava de Zmey Gorynych,
Arte: Ivan Bilibin

Esta última criatura mítica é descrita como uma enorme cobra com asas e geralmente tem três ou nove cabeças, quatro pernas grossas e asas de morcego. Ele vive em lugares hostis e escuros, cospe fogo azul e é muito feroz. Acredita-se que um *aždaja* surja quando uma cobra devora outras cobras e, cem anos depois, acaba desenvolvendo asas e pernas.

Já as características de *zmaj* são muito diferentes. Trata-se de uma criatura alada de força extraordinária, às vezes fisicamente semelhante a *aždaja*: com uma ou mais cabeças e que tem o poder de voar pelos céus uivando e cuspindo fogo. Ele também consegue, entretanto, transformar-se em águia, em cobra, em alguns outros animais ou até em humano! Na verdade, acredita-se que, de fato, ele seja meio humano. Muitas vezes essa criatura é vista como um protetor tribal ou uma encarnação da alma de um ancestral altamente respeitado. Ele pode ser bom ou mau em relação aos humanos, dependendo de sua personalidade e do conjunto específico de circunstâncias dadas: se ele for provocado ou estiver irritado, provavelmente atacará.

Diz a lenda que a Sérvia ganhava um novo *zmaj* uma vez por ano, que nascia em um lago perto de certa vila. Conta-se que uma bola de fogo subia ao céu e se despedaçava por volta da meia-noite. A partir daí, um desses pedaços se tornaria um *zmaj*, e os outros voariam atrás dele no céu noturno até que suas asas estivessem totalmente desenvolvidas e ele encontrasse uma montanha para morar.

Os *zmaj* eram considerados os protetores dos lugares em que se estabeleciam. Um *zmaj* estava sempre interessado em se casar com uma bela donzela, e, desse tipo de casamento, grandes heróis nasciam. Um *zmaj* ferido, no entanto, poderia esquecer e negligenciar seus principais deveres, que era cuidar das plantações, evitando tempestades que inevitavelmente atormentavam as aldeias sem sua proteção.

Há muitas canções folclóricas sobre um *zmaj* macho que se casou com uma mulher e a carregou para o submundo, ou sobre uma *zmeitsa* fêmea que se apaixona por um pastor. As mulheres não conseguem lidar facilmente com o grande amor a um *zmaj* — elas começam a perder força, ficam sem vida e precisam se libertar para sobreviver.

Zmaj aparece como personagem principal em vários contos, lendas, músicas e poemas, principalmente após a derrota da Sérvia pelo Império Otomano na Batalha de Kosovo em 1389. A partir desse momento, *zmaj* se tornou um símbolo da luta contra os ocupantes e representa grandes heróis sérvios, enquanto *aždajas* representam os inimigos otomanos.

Na Sérvia, a famosa temática de São Jorge matando o dragão é descrita como "São Jorge matando o *aždaja*, não um *zmaj*", devido à sua natureza exclusivamente maléfica.

DRAGÕES NO FOLCLORE ESLAVO

A temática antiga ao redor de uma cobra que se transforma em dragão é bastante difundida nas regiões eslavas, paralelamente às tradições chinesas.

Os dragões eslavos são identificados, na maioria dos países, como os responsáveis pelo clima e pelas fontes de água, capazes de se relacionar com humanos.

Na Bulgária, existe uma crença popular semelhante. *Smok*, que nasceu uma cobra não venenosa, cresce e se torna um dragão *zmaj* depois de viver quarenta anos. Também acreditam que, se o corpo de uma cobra decapitada se une a um chifre de boi ou de búfalo, um dragão surgirá após apenas quarenta dias.

Para alguns povos, as víboras são capazes de se tornar um dragão. No folclore ucraniano, uma víbora precisaria de sete anos para completar a transformação, enquanto no folclore de Belarus o tempo necessário é de cem anos.

Há figuras equivalentes ou que se aproximam ao *zmaj* sérvio em outros países eslavos. As formas e grafias são em russo: *zmei* ou *zmey* (змей); ucraniano: *zmiy* (змій); búlgaro: *zmey* (змей); polonês: żmij; esloveno: *zmáj*.

ZMAJ DOS CONTOS DE FADAS MACEDÔNIOS

Na maioria dos contos e canções folclóricas da Macedônia, eles são descritos como extremamente inteligentes, com olhos hipnotizantes. No entanto, às vezes os *zmaj* podem ser homens que se projetam de modo astral no céu quando há uma tempestade para combater a *lamia*, uma versão feminina do mal que quer destruir as plantações de trigo. Eles também eram conhecidos como guardiões do território e até protegiam as pessoas nele, sendo hostis apenas se outro *zmaj* invadisse seu espaço. Eles podiam mudar de aparência transformando-se em fumaça, faíscas, pássaros de fogo, cobras e nuvens, mas logo depois eles ganhavam a forma de um homem bonito e fariam uma bela donzela se apaixonar por eles. Algum tempo depois, eles teriam uma filha juntos e a mãe acabaria suicidando-se, então o pai levaria a filha às cavernas, onde ela serviria de escrava.

LAMIA

A *lamia* (búlgaro: ламя) também é vista como uma criatura semelhante a um dragão para a população étnica búlgara e tem equivalentes na Macedônia (*lamja, lamna*; ламја) e áreas do sudeste da Sérvia (*lamnia*, ламња).

A *lamia* búlgara é descrita como um réptil ou lagarto coberto de escamas, tendo de 3 a 9 cabeças de cachorro com dentes afiados. Elas também podem ter garras afiadas, asas com membranas, e as escamas podem ser amarelas.

A *lamia* búlgara mora no fundo dos mares e lagos, ou às vezes em cavernas montanhosas e pode interromper o fornecimento de água à população humana, exigindo ofertas de sacrifício para desfazer sua ação. Como dissemos acima, a *lamia*, portadora de seca, era considerada a adversária de um *zmaj* benevolente.

POZOJ

Um *pozoj* é um dragão nas lendas da Croácia. No condado de Međimurje, o dragão Čakovec residia sob a cidade, com a cabeça sob a igreja e a cauda sob a praça da cidade, ou vice-versa, e só poderia ser foi eliminado por um *grabancijaš* (um "erudito errante", disfarçado como um "estudante da magia negra").

O *pozoj* também é conhecido na Eslovênia e, segundo a lenda, existe um que vive embaixo de Zagreb, causando um terremoto sempre que encolhe os ombros.

Os dragões na Eslovênia são geralmente de natureza negativa e geralmente aparecem em relação a São Jorge. O herói-deus esloveno Kresnik é conhecido como um matador de dragões.

OUTROS PERSONAGENS FOLCLÓRICOS

BŁĘDNICA

Błędnica é um demônio da floresta, que dizem desviar as pessoas, deixando suas vítimas sozinhas nas profundezas da floresta para morrerem de fome ou serem comidas por animais selvagens. A entidade do mal é geralmente descrita como uma garota jovem e bonita. Acredita-se que a única maneira de afugentar o demônio é usar alguns feitiços fortes ou sacrificar algo em sua casa ou durante a caça.

CIKAVAC

Cikavac é uma criatura mítica na mitologia sérvia, imaginada como um pássaro com bico longo, parecido com um pelicano. Um *cikavac* poderia ser originado retirando-se um ovo de uma galinha preta, que então seria carregado por uma mulher sob sua axila por quarenta dias, período durante o qual ela não se confessava, nem cortava unhas, nem lavava o rosto, nem orava. O *cikavac*, então, roubava mel das colmeias e leite do gado de outras pessoas e os trazia para o proprietário. O pássaro cumpriria todos os desejos de seu dono e também permitiria que ele entendesse a linguagem animal.

DUKLJAN

Dukljan ou Dukljanin (cirílico sérvio: Дукљан ou Дукљанин) é uma figura da mitologia sérvia muito curiosa por ser o reflexo do imperador romano Diocleciano. Ele é apresentado como o adversário de Deus, possivelmente por causa da grande perseguição de Diocleciano aos cristãos.

As lendas atribuem a ele a construção da cidade de Duklja, a fronteira de Dukljan e os marcos romanos perto de Tuzi.

Uma canção folclórica sérvia sobre Dukljan diz que uma vez ele removeu o Sol do céu e o trouxe para a Terra. São João conseguiu enganá-lo e restaurar o Sol, mas depois, enquanto o perseguia, Dukljan agarrou-o e arrancou um pedaço de carne do pé de João, o que explica porque os humanos têm arcos nos pés.

Existem diversas variantes de uma história de que ele ainda está vivo; de acordo com elas, ele está acorrentado no rio Morača perto de Duklja. Em algumas dessas histórias, ele constantemente rói suas correntes, e a cada ano perto do Natal (ou perto de Đurđevdan) quase consegue libertar-se e destruir o mundo, quando quatro ferreiros ciganos reforçam as correntes.

ČUMA

Čuma ou *kuga* é a personificação da peste na mitologia sérvia. Era imaginada como uma velha vestida de branco. Mencionar čuma era evitado, então eufemismos como *kuma* (madrinha) ou *teta* (tia) eram usados.

Acreditava-se que *čumas* viviam em uma terra distante, de onde partiam para infectar pessoas. Elas odiavam sujeira e ficavam ansiosas para infectar uma casa suja; portanto, se a praga aparecesse nas proximidades, acreditava-se que todas as casas e seus ocupantes deveriam limpar a casa exaustivamente para ficarem protegidos. Curiosamente, a crença era útil, pois, fosse pela higiene ou pelo fato de as pessoas ficarem em casa e evitarem sair, realmente ajudava de certa forma com a praga real. Ofertas de comida, água limpa, manjericão e um pente também podiam ser feitas para ela.

PALHA DE KUMOVSKA

Este nome é popularmente usado para denotar o rastro da Via Láctea na Sérvia. De acordo com o folclore, um afilhado roubou uma carga de palha do padrinho e, então, enquanto ele a carregava, a palha caiu e foi derramada ao longo do caminho, pois Deus a deixou no céu para a lembrança eterna.

Essa explicação popular vem de uma história oriental sobre um ladrão que derramou palha roubada. No entanto, na crença de muitos povos, especialmente indo-europeus, a palha de Kumovska representa o caminho pelo qual as almas vão para o céu e para o outro mundo em geral, e através da qual os deuses viajam. O alemão Vodan, o deus dos mortos e o líder das almas, também cavalgaria por aí.

MATCHESHA

Matchesha (ou sogra) é, segundo os contos populares sérvios, a personificação de um inverno rigoroso. Ela é imaginada como uma mulher cruel e asquerosa, que persegue implacavelmente suas noras. Perto de Despotovac, em Resava, existem duas colinas: Macija e Pastorka. Há restos em seus topos de fortificações de pedra. É possível supor que os nomes das colinas ocultam os antigos santuários dualistas no topo dessas colinas, que eram dedicados à divindade do mal (sogra) e à divindade do bem (nora).

A LUA

Na tradição e folclore popular eslavo, a lua é personificada. Em canções folclóricas, a lua tem mãe, é irmã do sol, casa-se com o raio das nuvens ou com a estrela Danica. Nas crenças populares, grande atenção é dada à mudança de fases da lua, e a lua nova é especialmente respeitada e tratada como um ser que dá saúde, felicidade e alegria.

A lua também ajuda na adivinhação, e o nome do corpo celeste não deve ser mencionado em casa, nem deve o astro ser apontado com o dedo. Existem várias crenças a respeito da lua nova ou cheia. Durante a lua nova, não é um momento bom para semear ou colher vinhas nem tingir fios.

Lua cheia é algo bom também, porque significaria a fartura. As crianças devem ser desmamadas nessa fase.

Se uma criança está doente durante a lua cheia, ela é levada para fora de casa e pede-se que a lua a cure. Há alguns enigmas nos quais a lua é imaginada como um cavalo ou uma vaca. As pessoas também explicam as manchas na lua como imagem humana ou acredita-se que há um ferreiro ou um anjo na lua para quem o diabo fez uma cavidade única.

Indícios sugerem que a lua era reverenciada como uma divindade pelos eslavos do sul, embora essa informação não se aplique aos sérvios.

DOLA

Na mitologia eslava, *dolas* são os espíritos protetores que personificam o destino humano. Elas podem aparecer na forma de um deus, um gato, um homem, um rato ou uma mulher. Eles têm suas próprias preferências e províncias, e perseguem aqueles que não fizerem escolhas planejadas pelo destino.

Dola também pode arruinar a vida de alguém se ele tiver esse capricho. Esse espírito pode ser herdado de "pai para filho", mas os irmãos têm *dolas* diferentes. *Nedola* é uma variante negativa de *dola*.

Até hoje, *dola* significa "destino" em algumas línguas eslavas. *Nedola* significa "miséria".

SUDIČKY

Rozhanitsy, *narecnitsy* e *sudičky* eram espíritos invisíveis ou divindades do destino na religião pré-cristã dos eslavos e estavam relacionados à gravidez, maternidade, casamento e ancestrais femininos em geral. Elas são muito semelhantes às *moirai* gregas e basicamente aos destinos da mitologia eslava.

Sudička é uma velha fiandeira que se aproxima dos berços de todos os recém-nascidos e prediz seu destino. Elas vêm em três: a primeira tem um grande lábio inferior por salivar continuamente o fio, a segunda tem um polegar de uma polegada de largura para segurar o nó e a terceira tem um pé enorme de pedalar na roda de fiar. A criança nunca pode escapar de seu destino — seja ele bom ou mau.

O culto do grupo de adoração de três mulheres pode ser rastreado até o século 1–5 d.C. No noroeste da Europa, eram chamadas de "mães" ou "matronas", acompanhadas de inscrições germânicas e gaulesas.

Geralmente essas deusas eram invisíveis aos olhos humanos, mas apareciam no nascimento, quando três delas chegavam para lançar o destino do recém-nascido. Duas faziam desejos pela fortuna da criança, mas as palavras da última não podiam ser desfeitas. Para ter certeza de que ela faria bons votos, os pais ofereciam-lhe vinho, velas e pão.

Acredita-se que eram ligadas a *dola*, mas não se sabe a que nível de parentesco.

VODIANOI

O *vodianoi* é um espírito aquático masculino de origem eslava. Ele é descrito como malévolo, existindo quase exclusivamente para afogar nadadores que o irritaram por sua ousadia. Os relatos de sua aparência variam: alguns contos o definem como um velho gordo e peludo, coberto de gosma e escamas, ou simplesmente como um velho camponês de camisa vermelha e barba. Ele também tem a habilidade de se transformar em um peixe.

O *vodianoi* vive em poços profundos, geralmente perto de um moinho, e dizem que é o espírito de um homem impuro morto (essa definição inclui aqueles que se suicidaram, crianças não batizadas e aqueles que morreram sem a última cerimônia). Como já foi dito, o *vodianoi* afogava aqueles que o irritavam com vaias ou insultos. No entanto, não havia proteção certa, pois o espírito era particularmente caprichoso. Os camponeses temiam o *vodianoi* e muitas vezes tentavam se livrar do espírito ou, não sendo possível, apaziguá-lo.

As únicas pessoas que geralmente estavam a salvo da raiva dos *vodianoi* eram os moleiros e os pescadores. Os moleiros, em particular, eram considerados tão próximos dos *vodianoi,* que muitas vezes eram vistos como figuras feiticeiras.

BANNIK

O Bannik é um espírito das casas de banho (*banya*) na mitologia eslava. Os balneários eslavos lembram saunas, com uma sala de vapor interna e um vestiário externo. Esse lugar era visto como fortemente dotado de forças vitais e era, inclusive, onde muitas mulheres davam à luz e praticavam adivinhações. Bannik costumava convidar demônios e espíritos da floresta para compartilhar seu banho, e, se fosse incomodado por um intruso enquanto se lavava, o Bannik poderia derramar água fervente sobre ele ou até mesmo estrangulá-lo.

O Bannik também tinha a capacidade de prever o futuro. Para consultá-lo, a pessoa deveria ficar com as costas expostas à porta entreaberta do banheiro. O Bannik acariciaria suavemente as costas se tudo fosse um bom presságio, mas atacaria com as suas garras se fosse um presságio ruim.

POLEVIK

Polevik, na mitologia eslava, são espíritos do campo que aparecem como anões deformados com olhos de cores diferentes e grama em vez de cabelo. Eles aparecem ao meio-dia ou ao pôr do sol e usam roupas totalmente pretas ou brancas. De acordo com as crenças locais, eles conduzem pessoas errantes por um campo, causando-lhes doenças ou passando em cima delas com seus cavalos caso estejam dormindo.

Se uma pessoa adormece no trabalho depois de beber, o *polevik* pode matá-la. Para apaziguar o *polevik*, são necessários dois ovos, um galo, um sapo e um corvo, colocados em uma vala quando ninguém está olhando.

Nas partes do norte da Rússia, em vez de *polevik*, tinha-se a Dama do Meio-dia, uma garota muitas vezes descrita como uma mulher alta e bonita vestida de branco, que gostava de puxar o cabelo dos camponeses que trabalham ao meio-dia. Ela também fazia com que as crianças a se perdessem nos campos de milho.

BOLOTNIK

Na mitologia eslava, *bolotnik* é um espírito do pântano. Existem muitas descrições de *bolotnik*. Normalmente, ele era retratado como um homem ou um velho que tem olhos grandes de rã, barba verde e cabelos longos, e seu corpo era coberto de sujeira, algas e escamas de peixes. Outras lendas dizem que o *bolotnik* era uma criatura suja, gorda e sem olhos que se sentava imóvel no fundo do pântano. Em algumas lendas, também se diz que *bolotnik* tinha braços longos e cauda. Como o *vodyanoy* ou *rusalka*, ele atrairia e arrastaria as pessoas para a água se elas chegassem perto da borda. Acreditava-se que o *bolotnik* não tivesse mulher nem filhos, mas em algumas outras lendas, ele é casado com *bolotnitsa*, um espírito feminino do pântano, semelhante a uma *rusalka*.

LENDAS

Lendas são narrativas fantasiosas passadas de geração em geração, que carregam aspectos culturais baseados no imaginário, mas que podem, muitas vezes, ser baseadas em fatos históricos e verídicos.

As lendas desempenham um papel importante na transmissão de valores essenciais para uma determinada cultura: os contos populares eram frequentemente empregados para compartilhar uma história comum, para reforçar valores culturais ou destacar tradições importantes.

Os contos populares eram ainda mais influentes nos tempos pré-modernos, já que não havia, obviamente, meios de comunicação de massa, filmes, séries, dispositivos eletrônicos, e até livros não eram comuns para os plebeus. Portanto, a maioria das pessoas tinha de contar histórias de boca em boca para ensinar a seus filhos valores morais, estimular a imaginação e diverti-los, a fim de que não ficassem muito entediados.

Os contos populares sempre foram e ainda são úteis hoje em dia, não apenas para transmitir orientações morais para as crianças, mas também para transferir a língua materna para a próxima geração.

A lenda é um dos percursores da literatura. A literatura é simplesmente uma versão um pouco sofisticada de contos populares, de narrativas orais. É uma continuação da narrativa até a idade adulta.

Ainda hoje, somos cercados por histórias todos os dias. As pessoas, independentemente de sua nacionalidade, adoram uma boa história. As possibilidades aumentaram e os métodos evoluíram, mas as histórias ainda são contadas com as mesmas intenções que nossos ancestrais tinham quando as contaram aos seus filhos.

A DONZELA DA NEVE

A *donzela da neve* é uma personagem dos contos populares russos. Ela é uma jovem muito bonita, geralmente retratada com pele branca como a neve, olhos azuis como o céu e cabelos louros encaracolados. Ela é conhecida como Snegurochka em russo (*sneg* é a palavra russa para "neve"). A jovem é filha de dois deuses imortais, Frost (que significa "geada") e Primavera. Na maioria das histórias, ela geralmente vai morar com humanos para cuidar de um casal de idosos que não têm filhos. Em algumas, contudo, ela cresce e se torna uma linda jovem que é incapaz de amar. A Mãe Primavera, com pena da filha, dá-lhe essa capacidade, mas, assim que Snegurochka se apaixona, seu coração a aquece e ela se derrete. Essa história poderia ser colocada na edição de contos, mas Snegurochka está tão presente na cultura russa até hoje, que a trataremos como uma lenda. A jovem donzela é acompanhante do correspondente eslavo do Papai Noel, o Ded Moroz, e é um símbolo das festas de fim de ano. Ela também pode ser encontrada facilmente no artesanato russo, especialmente em peças pintadas a mão, como a boneca russa Matryoshka.

Matryoshka

A lenda é a seguinte:
Em uma *isba* (cabana de madeira) nas florestas do norte da Rússia, vivia um velho cortador de madeira e sua

esposa. Os tempos eram difíceis, pois o inverno havia começado e uma alta camada de neve cobria o chão.

O casal era gentil e trabalhador, mas também eram pessoas tristes e solitárias, pois não tinham filhos e não havia ninguém para cuidar deles ou ajudá-los no inverno frio. Os dias passavam devagar, e o trabalho era seu único conforto e distração. Havia madeira para cortar e comida para encontrar.

Então, um dia, enquanto limpavam uma área para poderem cortar um pouco mais de madeira, começaram a amontoar montes de neve. Lembrando-se das brincadeiras que faziam na infância, o casal de idosos começou a moldar a neve em formato humano. Quando terminaram, estavam quase congelados, mas a imagem da jovem que haviam criado era tão bonita, que seria até difícil descrevê-la.

— Veja, esposa — disse o velho —, essa será nossa filha Snegurochka.

A velha deu risada, mas, quando o marido se virou, havia lágrimas nos seus olhos.

Escondido, o velho deus do inverno Frost, que vivia nas profundezas das clareiras da floresta, observava o casal.

Frost sentiu pena deles e, naquele momento, decidiu criar para eles uma filha a partir de seu próprio espírito. Ele coçou a longa barba branca e ponderou por um tempo antes de levantar no ar o grande cajado que carregava. Um raio de luz mágica então cruzou a floresta.

Donzela de Neve

O casal de idosos virou-se para admirar mais uma vez sua obra e ficou surpreso ao ver, de pé em seu jardim, a mais bela donzela, pálida e com longos cabelos louros.

Ela estava vestida com uma túnica azul longa e comprida, com gola e punhos adornados com pelo macio; seu casaco de neve cintilava. Em sua cabeça havia um chapéu de pele e flocos de neve que se parecia um pouco com uma coroa e que brilhava como uma chama gelada. Seus ombros estavam cobertos com uma capa azul-escuro, e nos pés ela usava botas bordadas.

O casal de velhos piscou sem acreditar no que via, pois lá na frente deles estava a filha que haviam tanto desejado. Snegurochka, hesitante, aproximou-se deles e seus corações saltaram de alegria quando a jovem criada disse:

— Se lhes agrada, serei sua filha e cuidarei de vocês como minha mãe e meu pai.

A velha segurou a mão pálida da donzela da neve e com grande alegria a levou em direção à *isba*. Enquanto seguia o casal, Snegurochka sentiu que as árvores e os animais da floresta de inverno lhe ofereceriam uma vida feliz.

Snegurochka ajudava nas tarefas e cuidava bem do casal. Eles mal podiam acreditar na sorte de ter uma filha tão bonita e gentil. Apesar disso, seus pais se preocupavam com ela, pois a jovem era pálida e muito quieta, às vezes parecendo tão frágil a ponto de não ter vida. No entanto, sempre havia vida em seus brilhantes olhos azuis, e seu sorriso podia iluminar a floresta inteira.

A donzela de neve amava as árvores e as criaturas da floresta. Em sua forma mortal, ela era uma filha obediente para seus novos pais, mas havia uma distância em seus olhos.

Dois meses felizes se passaram e chegou a hora das celebrações de inverno. As ruas da cidade, a alguns quilômetros de distância, estavam cheias de decorações e música. Às vezes, grupos felizes de pessoas atravessavam a floresta a caminho da cidade. Snegurochka observava as pessoas através de uma janela congelada da *isba*. Preocupada, a velha sugeriu que Snegurochka se juntasse às celebrações, pois devia ser muito chato viver o tempo todo com um casal de velhos, mas Snegurochka garantiu que estava muito feliz.

Então, um dia, enquanto olhava pela janela gelada, viu Misgir, filho de um nobre, e sua noiva Coupava brincando na neve. Ela também observou o vínculo muito especial que existia entre o jovem casal, um vínculo que ela nunca havia conhecido.

Mais tarde naquele dia, enquanto passeava pela floresta, Frost procurou-a e advertiu-a de que nunca deveria tornar-se amiga de nenhum humano, ou um desastre aconteceria. No entanto, a pobre Snegurochka não parava de pensar no estranho vínculo entre os dois jovens.

Querendo entender mais sobre os humanos, ela decidiu se juntar às pessoas que caminhavam em direção à cidade. Lá, viu Misgir e Coupava na multidão e foi conversar com eles. Coupava, no entanto, ciumenta, afastou Misgir. Apesar disso, a multidão foi cativada por sua beleza e inocência.

A partir de então, Snegurochka começou a ir à cidade com bastante frequência.

Um dia, enquanto desfrutava da agitação das multidões, ouviu sons da música mais encantadora. Foram as músicas de um jovem pastor chamado Lel. Snegurochka se aproximou para ouvir mais. Lel viu a jovem donzela observando-o tocar sua flauta e achou-a muito bonita. Ele se apaixonou profundamente por Snegurochka e eles logo se tornaram inseparáveis.

As semanas se passaram e a primavera estava se aproximando. Frost começou a ficar alarmado e alertou a Snegurochka que se afastasse dos raios brilhantes do deus do sol, que poderiam matá-la, devendo ficar sempre na sombra.

À medida que a primavera se aproximava, as pessoas deixavam suas casas com mais frequência. Sempre que as meninas saíam para passear e cantar, Lel corria para a *isba* de Snegurochka, batia à janela e convidava a jovem para se juntar a eles.

Uma vez que ela aparecia, eles não se desgrudavam, mas Snegurochka sabia que ainda havia algo faltando, ela sabia que não se sentia como os humanos.

Quanto mais pensava em Lel, mais pálida e fraca ela se tornava, mas, apesar disso, procurou a Mãe Primavera na floresta e perguntou se podia sentir o vínculo especial que os humanos sentiam. A Primavera disse que aceitaria seu desejo, mas, se seguisse esse caminho, certamente a jovem morreria. Snegurochka voltou triste para casa.

Frost continuou a observá-la a distância, pois sabia o que logo aconteceria com ela.

Por um tempo, ela ficou longe dos passeios pela floresta, da cidade e de Lel. Então, em uma linda manhã, Lel chegou à pequena janela de Snegurochka e implorou que ela saísse com ele, apenas uma vez, apenas por um momento. Por um longo tempo, Snegurochka se recusou, mas, finalmente, seu coração não pôde mais resistir. Ela percebeu que poderia esconder-se para sempre ou apreciar, ainda que brevemente, como era ser realmente humano. Então, ela caminhou com Lel até a beira da floresta de bétulas.

— Lel, deixe-me ouvi-lo tocando flauta!

Seu coração estava quente. Ela estava diante de Lel, havia tão pouca vida nela, seu rosto pálido parecia sem sangue e seus braços e pernas formigavam. O jovem tocou a flauta. Ela ouviu a música e sentiu amor pela primeira vez. Lágrimas rolaram de seus olhos.

No entanto, ela era uma criatura de gelo e neve e não podia sobreviver ao calor que sentia em seu coração. Com o menor suspiro, ela começou a derreter, até que caiu na terra úmida e, de repente, desapareceu. Não restava nada além de uma névoa gelada, flutuando para o céu azul.

Quando a donzela da neve desapareceu, a primavera tomou conta da terra: a geada recuou e as pequenas flores dos campos começaram a florescer. Todos aplaudiram o retorno da estação, exceto o jovem pastor, que se sentia desolado e com frio, apesar do calor do sol.

Quanto ao casal de idosos, eles sentiram sua perda profundamente, mas, em seus corações, sempre souberam que a mágica não poderia durar. Eles estavam apenas agradecidos pela bela jovem que havia trazido tanto calor e alegria a suas vidas e que lhes deu esperança nas profundezas do inverno.

Donzela da neve derretida - Arte: Vasily Perov

Mas e a donzela de neve? Bem, diz-se que, quando ela se derreteu, seu espírito foi capturado por seu pai Frost, que se retirou para terras distantes com o avanço da Mãe Primavera. Ele levou o espírito de sua filha através das estrelas para as terras congeladas do norte, onde ela novamente assumiu a forma de uma bela jovem. Aqui ela toca durante todo o verão — nos mares congelados.

Mas, todos os anos no inverno, no primeiro dia do ano novo, o pai Frost e a donzela de neve retornam à Rússia em sua *troika* (trenó). Eles continuam trazendo sua mágica, como fizeram há muito tempo para o lenhador e sua esposa, para aqueles que são bons e gentis, principalmente as crianças, trazendo-lhes pequenos presentes e ajudando a tornar seus sonhos realidade.

Também é uma representação das estações e do poder dos elementos. Em muitas sociedades tradicionais, as estações e os elementos tinham seus próprios deuses ou imortais, como o Padre Frost, que reveste o chão com gelo e neve. A donzela de neve japonesa, Yuki Onna, é outro exemplo, embora seja uma figura muito mais perigosa, especialmente para aqueles perdidos em nevascas. Uma mulher pálida e calma, ela aparece enquanto eles lutam futilmente contra o frio, cantando para acalmá-los até que durmam, e depois respira um frio mortal sobre eles, tornando seu fim calmo e indolor.

Em países com invernos rigorosos, há muito tempo, a chegada da primavera também era um evento imensamente importante, principalmente para os pobres, para os quais os invernos poderiam ser extremamente severos. A história russa da donzela de neve vê a batalha entre as forças eternas da natureza (Pai Frost e Mãe Primavera) para que o calor retorne à terra. Para a primavera voltar, o inverno tem de morrer. O tema e a interação desses personagens míticos com pessoas mortais teriam sido muito significativos para as pessoas que ansiavam pelo retorno da primavera e o comemoravam.

A SENHORA DA MONTANHA DE COBRE

A Senhora da Montanha de Cobre (em russo: Хозяйка медной горы), também conhecida como A Donzela Malaquita, é uma criatura lendária da mitologia eslava, simbolizando o espírito da montanha das lendas dos mineiros dos Urais e da Senhora dos Montes Urais da Rússia.

Nas lendas e contos populares nacionais, ela é retratada como uma jovem extremamente bela de olhos verdes em um vestido de malaquita ou como um lagarto com uma coroa.

Ela é vista como a padroeira dos mineiros, a protetora e proprietária de riquezas subterrâneas escondidas. De acordo com as lendas, uma pessoa que vê a Senhora fica enfeitiçada. Ela mostra bondade para com pessoas boas e artesãos habilidosos, ajudando-os a encontrar joias e ouro, mas, se suas condições não forem atendidas, a pessoa perde toda a sorte, habilidade e pode até morrer. Ela teria o poder de permitir ou impedir a mineração em certos lugares, dar ou receber riquezas.

"A Montanha de Cobre" refere-se à mina Gumyoshevsky, a mais antiga dos Montes Urais, que foi chamada de "A Montanha de Cobre" ou simplesmente "A Montanha" pela população. Agora está localizada na cidade de Polevskoy, Oblast de Sverdlovsk. Em algumas regiões dos Montes Urais, a imagem da Senhora está conectada com outra criatura feminina dos contos populares locais, a Menina Azov, uma princesa encantada que vive dentro do Monte Azov.

A SEREIA DE VARSÓVIA (POLÔNIA)

Era uma vez uma sereia marinha que se perdeu e nadou até o rio Vístula. Depois de uma longa viagem, ela decidiu descansar na margem do rio, e por acaso essa era a área onde hoje é Varsóvia, a capital da Polônia. Ela olhou em volta, apaixonou-se pelo ambiente harmonioso e decidiu ficar.

Os pescadores locais começaram a perceber que algo incomum estava perturbando as águas calmas do rio e soltando peixes de suas redes. Sem deliberar muito, eles decidiram ir atrás de quem estava causando aqueles danos.

Para sua surpresa, eles viram uma mulher incomum cujas pernas estavam cobertas por escamas, parecendo-se com um rabo de peixe, capturada na armadilha que prepararam. Ela pediu que a soltassem, e a voz melodiosa da sereia fez com que eles se apaixonassem por ela. Eles se desculparam e a deixaram nadar livremente. Daquele dia em diante, eles frequentemente se reuniam na margem do rio após um árduo dia de trabalho, ouvindo juntos as canções calmantes da sereia.

Um dia, um rico comerciante que viajava descobriu sobre a misteriosa criatura e se esgueirou para a margem do rio à noite. Depois de ouvir a sereia, seu coração e alma gananciosos desejaram possuí-la. Os mercenários do comerciante armaram uma armadilha e capturaram a sereia, em seguida a trancaram em uma cabana próxima e esperaram pelas novas ordens.

Sereia na rua Karowa em Varsóvia

A sereia começou a chorar e seu choro foi a canção mais triste da natureza, e o coração das pessoas se encheu de tristeza. O filho de um bravo pescador não suportou o tormento causado pela sereia e reuniu os habitantes locais. Juntos, eles derrotaram os guardas e libertaram a sereia.

— Jamais esquecerei o que você fez por mim — disse a sereia. — Não posso mais vir cantar para você, mas, sempre que seu povo encontrar problemas avassaladores, estarei pronta com meu escudo e espada para protegê-lo, assim como você protegeu minha liberdade.

A sereia está no brasão de armas de Varsóvia pelo menos desde o século XIV. Hoje em dia você pode encontrar várias estátuas dela por toda a cidade.

BŁĘDNE OGNIKI: FOGO FÁTUO

O fogo fátuo é um fenômeno visível à noite sobre pântanos e turfeiras, na forma de pequenas luzes flutuando acima da superfície. Durante séculos, era associado em muitas culturas do mundo à esfera dos fenômenos sobrenaturais e ao mundo dos espíritos. Embora as lendas urbanas, o folclore e a superstição tipicamente atribuam as luzes a fantasmas, fadas ou espíritos, a ciência moderna o explica como fenômenos naturais, como bioluminescência ou quimioluminescência, causados pela oxidação da fosfina (PH_3), difosfano (P_2H_4) e metano (CH_4) produzido por decomposição orgânica.

No folclore eslavo, as luzes eram vistas como vaga-lumes e consideradas as almas dos iníquos que se arrependeram após a morte, especialmente aqueles que exploravam os outros ou proprietários de terras injustos. Em geral, não eram vistos como boas coisas: *ogniki* eram demônios hostis às pessoas. Se andarilhos perdidos alcançam as áreas assombradas por *ogniki*, eles são conduzidos às partes mais perigosas do local e morrem afogados. Muitas pessoas descreveram ir atrás de *błędne ogniki* como um estado hipnótico: as luzes às vezes apareciam como um par de mãos segurando uma vela ou uma fonte de luz indescritível. *Ogniki* estava tentando manter as pessoas o mais longe possível dos tesouros que protege.

De acordo com algumas tradições populares, uma forma de se proteger do *błędne ogniki* é queimar ervas protetoras na tocha que é segurada durante as viagens noturnas ou jogar moedas nas costas para distrair ou subornar os demônios.

Xilogravura de Julian Schübeler, baseada no desenho de Miłosz Kotarbiński.

Devido à influência da cristianização na Polônia, os *błędne ogniki* também são descritos como almas de crianças inocentes que não foram batizadas antes de sua morte ou almas de pessoas que não receberam o sacramento da unção. Uma pessoa apanhada nos pântanos por *błędne ogniki* prometia pagar por uma missa sagrada dedicada às suas almas — e tal promessa tinha de ser cumprida, caso contrário viriam atrás da pessoa mais cedo ou mais tarde.

Portanto, se você sentir vontade de seguir um vaga-lume ou algum ponto de luz, tenha cuidado! Você pode acabar indo parar em pântanos escuros.

A LENDA DO REI MATJAŽ (ESLOVÊNIA)

Várias lendas sobre o rei esloveno Matjaž contam histórias sobre ele e sua vida. No vale Mežiška, a história mais comum é a seguinte:

Muito tempo atrás, as terras eslovenas eram governadas por um rei rico e justo chamado Matjaž. Ele era muito bondoso, e paz e felicidade governavam o lugar, mas uma tribo terrível veio do leste e atacou sua terra.

Em uma luta desigual, Matjaž e seu exército lutaram, mas os soldados caíram um após o outro até que apenas alguns homens estivessem defendendo a terra ao lado de seu rei. Quando ele percebeu que os inimigos eram muito fortes, fugiu para a montanha com seus soldados. Como era um bom rei e um governante justo, ele não foi morto porque a montanha se abriu para ele e o protegeu lá dentro, onde ele está até hoje. Na caverna, Matjaž sentou-se atrás de uma mesa e os outros se sentaram no chão ao lado dele e adormeceram. A lenda diz que, quando sua barba circundar a mesa nove vezes, ele estará bem acordado. Então, uma tília crescerá fora de sua caverna no inverno. Ela florescerá da meia-noite à uma hora da manhã e então morrerá. Nesse momento, o rei Matjaž e seus homens sairão da caverna e ele derrotará e deterá todos os seus inimigos, livrará o mundo da injustiça e governará o povo esloveno novamente. É quando os tempos dourados chegarão mais uma vez a Koroška.

Existe também outra história sobre o rei Matjaž:

Conta a lenda do rei Matjaž que ele foi convocado a lutar contra os turcos na manhã seguinte à noite de núpcias, então o rei teve de deixar sua nova esposa sozinha em casa e ir para a batalha. Para dar a ela alguma proteção, ele a deixa com seu cavalo Svit, que podia pensar e falar como um humano. Se algo acontecesse com a rainha, o cavalo poderia ir avisar o rei. Mais tarde, o sultão dos turcos escolhe Alenka, esposa de Matjaž, para ser sua esposa. O rei, para resgatá--la, se disfarça de turco e mistura-se ao exército deles. Por ser incrivelmente corajoso, o sultão permite que ele dance com sua esposa. Alenčica o reconhece pela aliança que ele carrega na mão e o rei consegue sequestrá-la. No caminho de volta, uma enchente impede que eles atravessem o rio a cavalo, mas seu amor é tão forte, que separa as águas e eles conseguem chegar com segurança ao seu destino.

SKAMIENIAŁE MIASTO: LENDAS DA CIDADE TRANSFORMADA EM PEDRA

Skamieniałe Miasto é uma reserva natural localizada perto da cidade de Ciężkowice, no sul da Polônia. Seu nome pode ser traduzido literalmente como "Cidade transformada em pedra". Ela abrange um grande sistema de formações rochosas de arenito, estendendo-se por vales e colinas crivadas de cavernas e fendas. Cada uma das formações rochosas distintas tem seu próprio nome e uma história por trás dele.

Uma velha lenda nos fala sobre um antigo e muito respeitado costume eslavo de hospitalidade. De acordo com essa lenda conhecida, toda a área da reserva já foi uma cidade bonita e próspera. No entanto, seus habitantes começaram a se tornar gananciosos e se recusavam a permitir a entrada de visitantes indesejados que chegassem aos seus portões. Como punição dos deuses, toda a cidade foi transformada em pedra, e só se deteriorou com o passar dos séculos. A "lei da hospitalidade" era muito importante na cultura eslava da velha Polônia e dos estados eslavos vizinhos — muitos documentos antigos nos contam até mesmo sobre pessoas sendo excluídas das comunidades por se recusarem a acomodar, alimentar e entreter seus convidados.

O lugar está conectado a inúmeras lendas locais. Segundo uma delas, os governadores estavam governando muito bem, tomando boas decisões e cuidando bem das pessoas. No entanto, eles adoravam beber e festejar, dedicando-se a suas próprias vidas. A embriaguez e a promiscuidade floresceram na cidade. Quando ela foi transformada em pedra, os governadores ficaram presos no meio de uma festa dentro da prefeitura, e lá permanecem até hoje. O sofrimento deles terminará e eles serão libertados quando as águas do rio Biała inundarem a cidade de pedra e chegarem à rocha que agora é chamada de "Prefeitura". É uma das maiores rochas da reserva.

Uma única rocha chamada Eremitério já foi a casa de um eremita que era um bom ser humano com um coração humilde e vivia fora dos muros da cidade barulhenta. Um dia, um estranho apareceu, sentou-se em um banco perto da entrada da cabana do eremita e pediu um copo d'água, visivelmente exausto após uma longa jornada. O humilde eremita deu-lhe tudo o que podia e o deixou descansar um pouco em sua propriedade. Antes de partir, o estranho disse ao eremita:

— Meu amigo, se você gosta de sua vida, arrume suas coisas e saia daqui o mais rápido que puder. Amanhã será tarde demais.

Então ele pediu um pouco mais de água, mas, antes que o eremita voltasse com um copo, o estranho desapareceu no ar. No final da tarde, o eremita decidiu partir para uma longa viagem e, de fato, na manhã seguinte, seria tarde demais para ele — a cidade, incluindo a cabana vazia do eremita, foi transformada em pedra durante a noite.

Duas outras lendas revelam histórias por trás da "Rocha com uma Cruz". Certa vez foi construída uma igreja ali, mas o padre que era responsável pela paróquia adorava jogar cartas e dados. Muitas vezes ele não conseguia encontrar oponentes, então eventualmente ele começou a jogar contra um *chort* (demônio eslavo). O *chort* o deixou ganhar algumas vezes para que o padre ficasse muito confiante. Eventualmente, eles começaram a fazer apostas altas e o padre começou a perder tudo ao ponto em que a única coisa que ele tinha para apostar era a própria igreja. E, claro, ele perdeu. Mas o *chort* complicado esperou um pouco para pegar o que havia ganhado e transformou toda a igreja em pedra em um domingo, quando ela estava cheia de pessoas orando.

Um *chort* continuou aparecendo no topo da rocha. Ele costumava ficar bêbado, gritando e jogando pedras e pederneiras nos caminhos próximos, assustando os cavalos dos viajantes e mercadores que passavam. A população local frequentemente voltava para casa com cicatrizes, atingida também pelas pederneiras lançadas pelo *chort*. A comunidade local estava cada vez mais irritada. Finalmente, um jovem corajoso decidiu acabar com o problema para sempre. Ele preparou uma cruz de aço e borrifou-a com água benta, esgueirou-se até o local quando o *chort* estava longe e instalou a cruz no topo da rocha. Quando o *chort* voltou, ele estava muito bêbado novamente e se queimou, tocando a cruz que ele não esperava estar em seu lugar favorito. Ele nunca mais apareceu, e a estrada estava segura para os viajantes novamente.

Outra lenda nos conta mais sobre uma rocha chamada Grunwald. Diz-se que tesouros inimagináveis estão escondidos dentro dela. Uma vez por ano, uma fenda na parte central da rocha se abre e pessoas de coração valente podem entrar e levar uma pequena parte do tesouro com elas. Eles têm de ser extremamente rápidos, caso contrário a rocha se fecha novamente atrás de suas costas e a caverna oculta se torna sua tumba.

Uma rocha chamada Bruxa é uma das mais interessantes de toda a reserva. De lado, realmente se parece com a cabeça de uma bruxa vista de perfil. Diz-se que todo o sítio está cheio de energia que atrai a magia. Outra parte da reserva é comumente chamada de Desfiladeiro das Bruxas — é um longo caminho estreito entre rochas altas que termina em uma cachoeira. Supostamente, era um lugar onde as bruxas se encontravam com um demônio no sabá.

Uma rocha chamada agora de Texugo é uma parte central de uma formação com muitas pequenas cavidades e fendas. De acordo com outra lenda, era uma vez um cavaleiro local que se interessou pelas formações rochosas, um homem de punhos extremamente rígidos que não confiava em ninguém. Ele começou a esconder sua riqueza nas pequenas cavernas e fendas das rochas, com medo de que seus bens terrenos fossem roubados de seu castelo principal. Então, ele se tornou tão paranoico que não conseguia nem se afastar das rochas, e guardava os bens escondidos como texugos guardam seus covis. Sua ganância acabou sendo punida —

ele ficou sem comida, perdeu a força e uma noite finalmente adormeceu. Pouco depois, ele foi transformado em um texugo. Compartilhou o triste destino do resto da cidade de pedra e dorme lá até hoje, petrificado.

Essas e outras lendas semelhantes fazem da reserva um lugar misterioso, cheio de histórias antigas. Não é de admirar que a população local permaneça supersticiosa em relação ao local: a configuração e os contornos das formações de pedra criam efeitos acústicos únicos. Caminhando entre as enormes rochas, podem-se ouvir sussurros e passos distantes, murmúrios e estalos, o assobio do vento, quase como se a cidade perdida ainda vivesse lá dentro.

O REI POPIEL E OS RATOS

Esta é uma lenda vinda de século IX, que ocorre na cidade de Kruszwica, onde havia um povoado eslavo medieval fortificado (*gród*). Popiel II foi um dos líderes protopoloneses semilendários, o último da dinastia dos Popielids.

Popiel era um monarca cruel, injusto e corrupto. Após a morte de sua primeira esposa, ele se casou com uma princesa alemã que era bonita, mas tinha um coração frio e ansiava pelo poder. Juntos, eles governavam as terras ao redor do Lago Gopło com punho de ferro.

Todos sabiam muito bem sobre seus crimes, mas as pessoas ficaram por longo tempo com muito medo de tomar uma atitude, temendo os mercenários bem equipados de Popiel, e muito provavelmente esperavam que o rei percebesse o quão ruim a influência de sua nova esposa estava se tornando.

Então veio a tristeza anos depois que a rainha deu à luz uma criança.

Enfim Popiel e sua esposa tomaram medidas drásticas, como envenenar um conselho inteiro de líderes de tribos e anciãos que se reuniram no castelo de Popiel em seu convite para uma *wiec* (assembleia pública) e assassinar os filhos de Popiel de seu primeiro casamento. Depois de todas as mortes "misteriosas", eles também se recusaram a queimar os corpos de acordo com os costumes eslavos e, em vez disso, jogaram-nos nas águas profundas do Lago Gopło.

As pessoas não aguentavam mais, porque os crimes ofendiam os deuses eslavos e infringiam as mais respeitadas leis, costumes e princípios eslavos. A raiva deles, o sangue real derramado e as maldições lançadas pelos anciões antes da morte resultaram em eventos incomuns, vistos pelo povo como a raiva dos deuses.

Um dia, não muito depois do massacre, as pessoas testemunharam uma cena inesperada. Milhares e milhares de ratos começaram a emergir do lago e se aproximar do castelo de Popiel. Aqueles eram ratos estranhos, extraordinariamente grandes e com dentes afiados, sem medo das pessoas. Os soldados do rei tentaram matá-los, mas de cada rato cortado ao meio, dois novos emergiam.

Logo os residentes do castelo começaram a fugir em pânico. O rei e sua família entraram em um barco e fugiram para a torre defensiva localizada em uma ilha no meio do lago, mas os ratos os seguiram, nadaram pela água, escalaram as paredes altas até os aposentos do rei e morderam as portas gradeadas.

Rei Popiel e o Rato - Arte da capa (fragmento) de Grzegorz Rosiński para uma história em quadrinhos dedicada à lenda sobre Popiel — parte da série bilíngue "Legendy polskie" (Lendas polonesas) lançada em 1976, uma apresentação gráfica de uma antiga lenda polonesa.

Produzido em 1976 pela Sport i Turystyka Publishers, Varsóvia e The Kosciuszko Foundation, Nova York (Eugene Kusielewicz, presidente). Texto de: Barbara Seidler, desenhos de: Grzegorz Rosinski; 32 páginas (bilíngüe)

As pessoas ouviram gritos terríveis vindos de longe, e por muito tempo ninguém ousou aproximar-se da ilha, temendo os fantasmas dos deuses. Um dia eles entraram no local, mas não descobriram nada além de ossos dentro da torre. Até hoje se acredita que Popiel perdeu sua coroa real enquanto nadava em direção à torre, e isso trará sorte para quem a encontrar no fundo do lago.

E assim acabou a dinastia Popiel: com punição pelos assassinatos e por desrespeito aos velhos costumes.

A torre foi destruída algum tempo depois, mas hoje em dia você pode visitar uma semelhante em Kruszwica, que foi reconstruída junto com um pequeno castelo no século XIV e se tornou um símbolo local refletindo a lenda.

FLOR DE SAMAMBAIA: LENDAS POLONESAS

Lendas sobre uma flor de samambaia estão entre os contos mais populares em muitos países eslavos. De acordo com as crenças folclóricas polonesas, por exemplo, a samambaia selvagem, espécie que normalmente nunca desabrocha, floresce com uma flor mágica em duas noites especiais a cada ano. Essa flor mítica aparece nas noites do solstício de verão e do solstício de inverno, as duas noites de transição do ano em que o poder do sol está em seu auge.

De acordo com a lenda, apenas samambaias que crescem nas partes mais isoladas das florestas podem dar origem à flor mágica, e, às vezes, com frutas mágicas também. Tem de ser um lugar distante de onde os humanos vivem, onde nenhum cachorro latindo, galo cantando ou pessoas falando possam ser ouvidos. Além disso, a maioria das descrições diz que a flor da samambaia floresce especificamente em *uroczyska*, um termo na língua polonesa que descreve lugares na natureza geralmente relacionados à magia ou a antigos locais de culto pré-cristão.

A flor nasce da samambaia por volta da meia-noite e é tão delicada que morre antes do amanhecer, podendo viver apenas menos de uma hora. Diz-se que, após a flor desabrochar, um estrondo ou trovão forte pode ser ouvido, e ela brilha com uma luz dourada, roxa ou azul.

De acordo com as lendas folclóricas polonesas, aquele que conseguir encontrar a flor ganhará uma sabedoria sobrenatural que trará felicidade à sua vida, ou então receberá grande riqueza e poder.

Encontrar a flor não é uma tarefa fácil, e isso não se dá apenas por causa de sua localização isolada. O nascimento da flor da samambaia é aguardado por muitas criaturas mitológicas do folclore polonês, que são particularmente ativas nas noites dos solstícios e que também ficariam à procura da flor que dá poder ou apenas os protege da ganância dos humanos. Se você tentar andar pela floresta nessas noites, provavelmente ouvirá barulhos assustadores ou risadas demoníacas tentando afastá-lo de lá.

O folclore polonês tem muitas histórias sobre pessoas que tentaram achar a flor e muitas sobre pessoas que conseguiram encontrá-la. Quem tentasse fazê-lo deveria ser excepcionalmente cuidadoso e usar rituais de proteção. Diz-se também que a flor nunca deve ser puxada, mas delicadamente sacudida da samambaia até que caia. Ela deve cair em um pano de linho branco deixado no chão e rapidamente embrulhada nele. Essa seria a única maneira de a flor não desaparecer no ar enquanto era carregada de volta para casa.

Nas versões cristianizadas da lenda, as pessoas iam ao bosque com outros objetos, como rosários abençoados, ou pegavam uma toalha de mesa branca de um altar da igreja para embrulhá-la.

Não deveriam, em nenhum momento, olhar para trás enquanto carregavam a flor para suas casas. Lá, deveriam desembrulhá-la cuidadosamente em seus altares domésticos (ou sob ícones sagrados nas casas ortodoxas cristãs). Então, sua casa estaria cheia de bondade e felicidade, e todas as suas caixas, caixotes e armários estariam cheios de moedas de ouro.

Outras lendas dizem que a flor da samambaia pode ser armazenada e usada em muitos ritos futuros, se imediatamente após pegá-la alguém esconder uma pétala sob a língua, nos sapatos ou em uma ferida cortada profundamente na mão. Então, a flor levaria a pessoa a lugares felizes ou até lhe daria o dom da clarividência e a capacidade de se tornar invisível.

Muitas lendas dizem que a riqueza obtida por aquele que encontrou a flor não poderia ser compartilhada com ninguém, caso contrário todo o dinheiro e poderes obtidos seriam perdidos para sempre. Nessas versões, encontrar a flor da samambaia estava associado a uma jornada solitária e à negação de familiares e amigos próximos. Quem a encontrasse estava, na verdade, perdendo-se em uma cadeia de sorte enganosa, cercando-se de riqueza e falsos amigos. No final, sua consciência despertava e a pessoa voltava para casa, onde encontrava todos que amava já mortos e sua casa em ruínas. A moral dessa versão é que uma pessoa não poderia ser inteiramente feliz sem sua comunidade próxima.

Em muitos contos locais, a Flor da Samambaia também é encontrada por acidente. Em uma das histórias, um pastor perdeu a sua vaca e, mesmo que já estivesse escurecendo, foi à floresta para encontrá-la, onde vagou por longas horas. Ele estava tão preocupado com o animal, que nem percebeu a flor mágica aparecendo no chão e pisou nela sem perceber. De repente, ele adquiriu visões mágicas, viu tesouros escondidos nos bosques e caminhos que o levariam até lá, e viu também sua vaca. Feliz e aliviado, ele foi atrás do animal, levou-o para casa e foi dormir. Decidiu ir à caça ao tesouro no dia seguinte, mas, quando se deitou, uma pétala de flor de samambaia que ficara presa sob a sola do sapato soltou-se e caiu no chão, e então o pastor perdeu todos os seus poderes. As visões desapareceram e a mente do homem ficou em branco, esquecendo todos os detalhes que enxergara nas visões da noite anterior. No entanto, ele não ficou triste, porque nunca pretendera encontrar tesouros, somente a sua vaca, e agora ela estava de volta e segura no celeiro. Talvez a iluminação que a Flor da Samambaia lhe proporcionou por um breve momento o tenha feito perceber que os tesouros não o deixariam realmente feliz no final.

Flor da Samambaia - Arte: Antoni Piotrowski

Uma flor de samambaia é um elemento importante da mitologia polonesa e da cultura popular. Na vida real, "procurar uma flor de samambaia" costumava ser um pretexto para os jovens se esconderem na floresta e passarem algum tempo romântico sozinhos na noite do solstício de verão, quando as comunidades rurais celebravam um banquete de origens dos antigos eslavos chamado Kupalnocka, Sobótki ou Wianki no idioma polonês. Os contos folclóricos sobre a Flor das Samambaias também foram uma inspiração para muitos escritores e poetas poloneses, e são frequentemente mencionados ao longo das linhas que descrevem a noite mágica do solstício de verão.

LECH, CHECO E RUS

Essa lenda é uma das mais antigas da Polônia. A história se passa por volta do ano 550 d.C., mas suas verdadeiras origens ainda são um mistério.

Os três irmãos desta lenda são fundadores simbólicos de três países eslavos — o irmão Lech (fundador da antiga Polônia), Checo (fundador da República Tcheca) e Rus (associado à Rússia em muitas versões populares da lenda, mas mais provavelmente falando sobre o povo ruteno).

Uma das principais versões da lenda é a seguinte:

Havia três irmãos — Lech, Checo e Rus. Todos viviam bem e com sensatez, escolhidos para liderar suas tribos por causa de sua sabedoria excepcional, mas em certo momento começou a haver escassez de animais na floresta e peixes nos rios, e as terras não davam safras suficientes para todos.

Os irmãos se reuniram e, depois de longos debates, eles e suas famílias decidiram deixar as áreas superpovoadas. Eles fizeram sacrifícios, empacotaram cuidadosamente as estátuas sagradas de suas tribos e partiram. No meio de tudo isso, todas as mulheres, crianças e idosos cavalgavam ou dirigiam carroças, e grandes rebanhos de gado eram conduzidos atrás deles, todos guardados por centenas de guerreiros armados.

Os eslavos marcharam sem medo por densas florestas e rios longos, passando por terras montanhosas, mas raramente encontravam lugares propícios para assentamento. Finalmente, chegou o dia de se separarem.

O primeiro a se despedir dos irmãos foi Rus, que escolheu as terras de estepes sem fim, planícies e rios largos no Oriente.

Logo Checo decidiu partir, descobrindo as terras ricas e férteis próximas ao Mountainíp. Mais tarde, ele estabeleceu seu estado lá.

O mais jovem dos irmãos, Lech, ainda estava viajando com sua tribo. Um dia eles chegaram a uma terra coberta por velhas florestas cheias de vida selvagem e com rios e lagos limpos que brilhavam sob o sol. Eles decidiram descansar um pouco mais em sua jornada.

Lech olhou em volta com atenção e convocou uma reunião dos anciãos no final da tarde. Disse-lhes:

— Já estamos viajando há muitos meses. Olhem ao redor, as terras aqui são lindas e férteis. Esta área poderia alimentar a nós e nossos filhos facilmente. Eu gostaria de ficar aqui, mas primeiro quero ouvir a opinião de vocês.

Ninguém respondeu, até que o mais velho dos sábios disse com cautela:

— Seus irmãos estabeleceram suas fortalezas há muito tempo, e acho que é a hora de fazermos isso também.

Você escolheu áreas deslumbrantes, Lech. Provavelmente deveríamos ficar aqui e procurar um local adequado e começar a construir.

— Se ao menos os deuses pudessem nos dar um sinal por onde começar! — Lech suspirou.

De repente, um barulho quebrou o silêncio. Uma enorme sombra passou sobre a clareira. As pessoas ergueram a cabeça e viram uma impressionante águia branca pousando no topo de um grande carvalho próximo. Suas penas brancas, brilhando aos últimos raios de sol, contrastavam com o céu vermelho da tarde.

— É o sinal dos deuses — sussurraram as pessoas.

— É um bom presságio — disse Lech sorrindo. — Vamos nos estabelecer aqui, e esse magnífico pássaro sempre estará nos protegendo.

A viagem deles data por volta do século VI, quando ocorreram grandes migrações na Europa. A história também é conhecida na República Tcheca, embora apenas como Lech e Checo.

Aparentemente, alguns países ainda chamam o estado da Polônia por Lech (ou a variação do nome Lach). Na língua lituana, a Polônia é chamada de Lenkija. Em húngaro, é Lengyelország, e também é comumente conhecido como Lechistan na língua persa. Costuma-se dizer que Rus se refere não aos russos, mas aos rutenos, que habitavam as terras eslavas orientais da atual Ucrânia e Belarus, mas o nome varia dependendo do período.

A versão mais simples é que os irmãos estavam em uma viagem de caça e seguiram presas diferentes, portanto foram para direções diferentes. Rus foi para o leste, Checo foi para o oeste e Lech foi para o norte. Isso é realmente o que é mencionado na Crônica de Lechitów e Polaków, conhecida como Crônica de Wielkopolska. Não obstante, não li em nenhuma versão que os irmãos tenham se encontrado outra vez. Infelizmente, a história mostra que isso aconteceu mais por meio da guerra do que da amizade.

O DRAGÃO DE CRACÓVIA

A lenda a seguir vem da cidade de Cracóvia, uma das cidades mais antigas da Polônia e sua antiga capital real, onde residiram os reis poloneses da época medieval à renascentista. Essa história também fala sobre o semilendário rei Krak, possível fundador da cidade.

O rei Krak era um governante bom e sábio. Sob sua orientação, as terras estavam florescendo, as paredes do Castelo Wawel cresciam e as pessoas sentiam-se felizes e seguras.

No entanto, um dia, um dragão terrível apareceu em uma das cavernas sob a Colina Wawel. Ninguém sabia quando e de onde veio — talvez essa criatura ancestral tivesse acordado em um dos túneis inexplorados sob a colina?

O dragão começou a exigir ofertas na forma de donzelas e gado. Semanas se passaram e o monstro aterrorizava completamente as terras de Cracóvia. Vários corajosos guerreiros e também os vários cavaleiros vindos de terras distantes para matar o monstro acabaram sendo queimados e mortos pelo dragão.

    A pele do animal era muito grossa para ser cortada mesmo com as melhores espadas, os melhores machados ou as lanças mais afiadas. Após a última chamada desesperada do rei, um pobre aprendiz de sapateiro chamado Skuba chegou à sala do trono com uma ideia que desejava compartilhar. Skuba anunciou, então, que encontrara uma maneira de matar o dragão.

    A certeza incomum em sua voz e a lógica por trás de suas expressões convenceram o rei a lhe dar uma chance, mas o menino se recusou a pegar qualquer tipo de armadura, escudo ou espada que lhe fosse oferecido, e pediu apenas por todo o enxofre contido no armazém real.

    No dia seguinte, todo o povo do rei começou a rir, ao perceber que Skuba ia encarar o dragão de fato apenas com pele de carneiro, linha de sapateiro e algumas agulhas longas. Krak observava o menino e apenas balançava a cabeça em silêncio de vez em quando.

    Skuba encheu a pele de carneiro com enxofre e a costurou cuidadosamente, cobrindo alguns buracos maiores com fatias de carne para esconder o cheiro dos minerais lá dentro. Então, ele carregou as peles para fora e as deixou na frente da cova do dragão, como se fosse mais uma oferta. Skuba se escondeu atrás de uma grande pedra, e o rei com sua corte observavam a situação cuidadosamente do alto do castelo.

Quando a noite chegou, o dragão faminto rastejou para fora da cova e devorou a oferta sem hesitar, como de costume, apenas olhando em volta procurando por mais, mas não demorou muito até que o enxofre reagisse com as entranhas de fogo do dragão. Sentindo a terrível queimação no estômago, o dragão desceu correndo a colina até o rio Vístula e começou a beber.

Ele bebeu tanta água do rio, que não conseguia mais se mover. Skuba saiu do esconderijo e o dragão enfurecido tentou cuspir fogo nele. A repentina tensão dos músculos do dragão parecia ser crítica, e seu corpo inchado explodiu! A terra de Cracóvia estava novamente livre.

Em algumas das versões, Skuba se casa com a filha de Krak posteriormente. Hoje em dia você pode ver uma estátua moderna do Dragão Wawel ao lado das muralhas do Castelo Wawel, perto do caminho que segue ao longo da margem do rio. Ele cospe fogo a cada poucos minutos.

EPÍLOGO

O folclore é o espelho que retrata a vida das pessoas, reflete a história da humanidade e expressa, ao mesmo tempo, o resultado das experiências particulares de um determinado grupo social.

Mitos e lendas são importantes para compreender as sociedades do passado, mas também são relevantes para entender as sociedades como são hoje. Ao contar como as coisas *eram*, os mitos acabam também sendo fundamentais para entender como as coisas *são*, visto que a cultura é um acúmulo de tradições ao longo do tempo.

Os mitos e lendas não apenas explicavam a origem do homem e da Terra, mas davam às pessoas da época um modelo de como conduzir suas vidas. Isso incluía, por exemplo, como as pessoas viviam, quem estava no comando, o que se esperava de cada um. Em um mundo onde não se sabia tanto sobre a ciência, as lendas explicavam os fenômenos e, principalmente, tentavam dar sentido à existência humana.

Todas as civilizações foram formadas com base em leis fundamentadas em códigos morais e éticos. Esses códigos morais e modelos de comportamento vinham, inicialmente, dos deuses e criaturas mitológicas. No folclore eslavo, uma característica especial é a ambiguidade de diversas figuras, especialmente de Baba Yaga, uma de suas principais personagens. Segundo as lendas, Baba Yaga pode tanto devorá-lo vivo como ajudá-lo, dependendo de seu humor. As *vily*, conhecidas por sua leveza de espírito e doçura, ocasionalmente se tornam seres ferozes, forçando alguém a fazer-lhes companhia ou buscando vingança. As *rusalki*, que geralmente atraem homens para afogá-los, também podem ter uma alma gentil e ajudar quem estiver em apuros. *Samodivas* são hostis aos humanos, apesar de sua aparência de lindas donzelas etéreas.

O folclore eslavo é mágico, intenso, belo e assustador ao mesmo tempo, uma cultura tão rica que está presente desde o artesanato até óperas e filmes conhecidos internacionalmente. Neste livro, esperamos ter trazido a você, leitor, ao menos um breve panorama da riqueza da cultura eslava.

REFERÊNCIAS

LIVROS

JOHNS, Andrea. *Baba Yaga: The Ambiguous Mother and Witch of the Russian Folktale od matriarchatu do patriarchatu* (Warszawa, 2007).

KROPEJ, Monika. SUPERNATURAL BEINGS FROM SLOVENIAN MYTH AND FOLKTALES em STUDIA MYTHOLOGICA SLAVICA – SUPPLEMENTA Supplementum 6. Ljubljana 2012.

RALSTON, W.R.S. "The Songs of the Russian People, as Illustrative of Slavonic Mythology and Russian Social Life." Londres. Ellis & Green, 1872.

ŠPIRO KULIŠIĆ, P. Ž. Petrović, N. Pantelić. Srpski mitološki rečnik. Belgrado. Nolit, 1970.

ZAROFF, Roman. "Organized Pagan Cult in Kievan Rus'. The Invention of Foreign Elite or Evolution of Local Tradition?" Studia Mythologica Slavica (1999).

SITES

(Acessos entre abril – agosto de 2020)

KLIMCZAK, Natalia. She Brings Bad News: The Scary Slavic Household Spirit Called Kikimora em https://www.ancient-origins.net/myths-legends/she-brings-bad-news-scary-slavic-household-spirit-called-kikimora-006776.

MINGREN, Wu. Don't Go Looking For Evil, You May Find The Likho em https://www.ancient-origins.net/myths-legends-europe/likho-0011245.

SANTOS, Gisele: Alkonost and the Gamayun, the mythical beings of Slavic folklore em https://www.ancient-origins.net/myths-legends/alkonost-and-gamayun-mythical-beings-slavic-folklore-004076.

MEET THE SLAVS. Disponível em: https://meettheslavs.com/triglav-three-headed-god/

_____. Disponível em: https://meettheslavs.com/crnobog-black-god/

_____. Disponível em: https://meettheslavs.com/dajbog-god-gives-lord-sun/

SLAVORUM. Disponível em: https://www.slavorum.org/dazbog-the-slavic-god-of-fortune-wealth-and-son-of-fire-in-the-sky/

_____. Disponível em: https://www.slavorum.org/zorya-the-guardian-goddess-of-dusk-and-dawn/

_____. Disponível em: https://www.slavorum.org/legends-and-myths-about-the-phoenix-firebird-in-slavic-culture/

STARISLOVENI. Majka Zemlja. Disponível em: https://www.starisloveni.com/English/MajkaZemlja.html

_____. Morana. Disponível em: https://www.starisloveni.com/English/Morana.html

_____. Gerovit. Disponível em: https://www.starisloveni.com/English/Gerovit.html

_____. Devana. Disponível em: https://www.starisloveni.com/English/Devana.html

_____. Desnik. Disponível em: https://www.starisloveni.com/English/Lesnik.html

LAMUSDWORSKI. A sereia de Varsóvia. Disponível em: https://lamusdworski.wordpress.com/2015/11/04/polish-legends-warsaw-mermaid/
_____. Wołogór. Disponível em: https://lamusdworski.wordpress.com/2016/11/12/wologor/

INFORMAÇÕES SOBRE NOSSAS PUBLICAÇÕES
E ÚLTIMOS LANÇAMENTOS

instagram.com/pandorgaeditora

facebook.com/editorapandorga

editorapandorga.com.br